My husband and I have had so many gre[...] It's exciting to see how *Core of the Univer*[...] improve our marriage and parenting.
Yun-A Johnson, *Blessing & Family Ministry Director for FFWPU USA*

From its first page to last, *Core of the Universe* is like a treasure map, with clear steps to the treasure—God's sacred, mind-blowing design for man and woman and the true value of our sexuality in a committed marriage. For generations to come, this book will be a must-read for all youth and couples who seek to prepare well for and realize their greatest marital happiness.
Mark Hernandez, *Universal Peace Federation Coordinator for DFW Family Church*

This may be the most important book you read. After all, what's more vital than understanding the Core of the Universe? Well researched in the words of Reverend Sun Myung Moon and Dr. Hak Ja Han Moon, this book will give you an understanding of Godly sexuality that you will find nowhere else.
Kevin Thompson, *Senior Pastor for Bay Area Family Church*

Beyond race, nation, and religion, man, and woman long to meet God through each other. This message will bring the world back home.
Dr. Tyler Hendricks, *President Emeritus of Unification Theological Seminary*

It is a breath of fresh air in a world of failed relationships, irresponsible behavior and wounded individuals.
Myrna Lapres, *Women's Federation for World Peace USA Board Director*

I believe this book will become a must-read for everyone who wants a happy marriage. It educates with truth, stories that make it real and relatable, and thought-provoking questions that will stimulate your original mind.
Dr. Andrew Compton, *Education Director for FFWPU USA*

宇宙の根本

宇宙の根本

愛、性、親密に対する神のビジョン

HIGH NOON

High Noon International
58 Mandy Lane
Aberdeen, WA 98520

Print ISBN: 978-1-7366668-3-8

First Japanese Edition

感謝の辞

この訓読会（注[1]）学習書は、この種のものとしては初めてのものです。この本は、私達が真のお父様、真のお母様、そして真の御父母様とお呼びする文鮮明総裁と韓鶴子御夫妻のみ言葉に基づいて書かれています。各章では、真のお父様が情熱をもって語られたテーマを取り上げています。真のお父様は、性愛のための神様のデザインと目的について明確に説明されたので、私たちはこの本の中でオープンに示唆に富んだ議論をすることができました。真のお父様の人生における勇気とリーダーシップがなければ、この本を書くことはできませんでした。真のお父様は、少年時代から人生の学生として、私たちの存在の核心を理解しようと、祈りの中で神様との深い体験をされました。真のお父様が発見されたのは、生殖器が神の理想世界の中心にあるということです。お父様は、男女の生殖器に関する新しいパラダイムを教えてくださいました。

　この本は、様々な背景を持つ人々が協力して、真の父母様のみ言を理解するために、それぞれが独自の貢献をしています。私はポピー･パヴィアーリチェ、ロバート･カニングハム、最愛の妻の光枝の執筆チームに感謝しています。ポピーは、幼稚園児から高校生までを対象とした人気の人格教育カリキュラム「本当の自分を発見しよう」やその他の教育関連の出版物の共著者であり、このプロジェクトを最初から最後まで見届けてくれました。長年ハイヌーンの活動を支援してきたロバートは、最近祝福結婚を受け、若い夫として新たな視点でこの本を支えてくれました。英語は光枝の第二言語でありますが、彼女は内容的にも、意外にも文法的にも、いつも多くのことに貢献してくれました。

1. （注）訓読会とは、真の父母様が築かれた伝統で定められた8つの聖典を家族で一緒に読み、神様の御言葉を学ぶ会のことです。

また、審査チームに賢明な意見をもたらしてくれたハイヌーンのディレクター、サミー·ウヤマとコンテンツ開発の第一人者であるアンドリュー·ラブにも感謝しています。サミーは、いくつかの章の執筆にも協力してくれました。統一神学校の名誉教授であるタイラー·ヘンドリックス博士は、私が神学上の疑問を持ったときや、真の父母様のみ言葉の理解に悩んだときに、いつでも対応してくださり、明確さをよくもたらしてくださいました。

マイ·サーストンとヘザー·タルハイマーが編集者として貢献してくれました。ヘザーは、この本をより良いものにするために素晴らしいアドバイスをしてくれました。真のお父様の言葉に込められた愛と思いやりを引き出し、読者が真のお父様の、時には強くて啓発的な言葉の裏にある心を感じられるようにしてくれました。マイは、各章の語調を統一し、引用文献を整理する上で重要な役割を果たしてくれました。

人生の経験を個人の証として率直に話してくださり、この本に掲載することを許可してくださったすべての方々に感謝の意を表します。祝福結婚プロジェクトとスクールオブラブのスタッフに感謝します。アメリカ、ヨーロッパ、韓国、東南アジアで開催されたハイヌーンのプログラムに参加してくださった皆様にも心より感謝します。彼らの真摯な質問と、祝福結婚によって輝く結婚をしたいという切実な願いは、私の魂に響き、真の父母様のみ言葉の中に答えを求めて深く掘り下げていきました。私たちハイヌーンは、世界中の参加者と話す中で、原理の教えと真の父母様のみ言葉に基づいた性に関する教育が緊急に必要であることがわかりました。私と光枝は、プログラム終了後、夫婦関係やポルノなどの親密な問題について相談してくる人が多いことに驚きました。

私は光枝に大変感謝しています。彼女は、この本のために真の父母様のみ言葉を探しながら、生殖器の神聖さと尊さについての真のお父様のみ言葉に感動して、しばしば涙を流しました。私と光枝にとって、この本は人生の旅の続きのようなものです。真のお父様が語られた神様の理想の性についてのみ言葉を読んで、皆さんが感動してくださることを願っています。私たちの経験では、夫婦でこの内容を読むと、想像以上の喜びを感じることができます。私は真の父母様に永遠に感謝しています。性が何のために創造されたかについての真の父母様の深い理解と導きは、世界を変える力があります。

デヴィッド·ウォルフェンバーガー　ハイヌーン創始者

序文

多くの人にとって、性に関する話題は、恥ずかしさや戸惑いを感じさせるものです。その結果、愛とセックスを経験したい、理解したいという願望は誰もが持っているにもかかわらず、ほとんどの人がこの話題を避けています。この本の目的は、私たちが親愛を込めて「真の父母様」とお呼びする文鮮明牧師と韓鶴子博士の教えから、明確で希望に満ちたビジョンを伝えることです。真の父母様の革命的な洞察は、「夫と妻の間の性的関係は、宇宙の根本である」というものです。この資料は、若い青年男女が結婚に備えて性的な純潔を守ることができるようにして、祝福家庭（注[2]）が天の観点で性的関係を築くようサポートします。

私たちは、性や配偶者との関係に関する習慣や態度について、すべての人が望ましい状況にいないことを認識しています。あなたが今いる時点から出発し、神様の贈り物である性の美しい理想を実現するために、勇気を持って一歩を踏み出すことをお勧めします。

家族の中で性的親密さについて健全な会話をしてきた人は少なく、良いモデルになる人がある人はもっと少ないでしょう。現代の文化では、学校やハリウッド、インターネットなどで、性に関する誤った情報が多く見受けられます。性は恥ずかしさを伴う話題なので、家庭内ではほとんど会話がありません。多くの家庭がセックスについて沈黙しているのと同様に、教会も沈黙していることが多く、そのため多くの人が、神様もこの話題について何も言われてないと誤解しています。その結果、家庭や教会に代わって、インターネット·ポルノが性教育の主な手段となっています。

真のお父様は、性の課題について黙っておられませんでした。真

2.（注）祝福家庭とは、真の父母様が執り行う祝福結婚式に参加し、祝福結婚を受けて永遠の夫と妻になった男女のことです。

のお父様は、生殖器が神様からの最も貴重な贈り物であることを人々に理解させようとされました。生殖器を通して、夫と妻は結婚生活の中で愛を経験し、個人ではできないような深い方法で神様を体験することができるのです。原理講論では、性の誤用が人類始祖の堕落を引き起こし、そこから世界のあらゆる問題が発生したことを学んでいます。生殖器の神聖さに関する真のお父様のみ言葉を通してのみ、なぜこの神聖な行為の誤用が、神様と全人類にとって最大の悲劇を引き起こしたのかを理解することができます。

真のお父様が生殖器やそれに関連する課題について話された講演がたくさんあるにもかかわらず、人々はそれらの講演の存在を知らないことが多いのです。また、その内容を見つけたとしても、その内容を議論するのは容易ではなく、それが自分の生活にどのように適用されるのか理解するのは困難です。それゆえ、性に関する本質的な疑問について、多くの人が困惑しています。

この訓読会学習書は、真のご父母様の何百ものスピーチからの引用をまとめ、神様の性に対するビジョンを包括的に理解できるようにした初めての本です。宇宙の根本、神様の性のデザイン、夫婦の愛、絶対「性」、堕落、復帰の6つの項目で構成されています。

各章は、真のご父母様のみ言から始まり、その後、中心となるテーマを抽出して説明する「感想点」があります。性に関する真の父母様の教えの中には、驚きやチャレンジがあるかもしれません。ぜひ、心を開いてみてください。各章には、歴史的な出来事や偉人、寓話などを取り上げたストーリーがあり、理解を助け、メインテーマについて話し合うことができます。各章には「現実化する」のコーナーがあり、テーマを生活に活かす方法を紹介し、最後にディスカッション用の質問を用意しています。配偶者や小グループ、家族と一緒にこの本を読む場合、これらのストーリーや質問は、性について自由でオープンな話し合いをするための道しるべとなるでしょう。

私たちは、あなたが人生のいかなる段階にいるかに関わらず、この本によって何かを得られると確信しています。独身の方には、将来の祝福結婚を受けるための準備をしていただくことができます。夫婦の方には、より美しく豊かな関係を築くためのヒントを得ることができます。親は子供を健全な性に導くための協助を得ることができます。天の父母様が（注[3]）私たちに夫婦としてどの様な経験をさせようとしているかを良く理解したとき、私たちは喜びに満ちた祝福されたカップルとなり、愛で世界を変えることができます。

3.（注）私たちの信仰のコミュニティーでは、男性格と女性格のすべてを体現している神様を「天の父母様」と言及します。本書では、簡潔にするために、神様に対して男性の代名詞のみを使っています。

真のご父母様のみ言

本書に掲載されている真のご父母様の言葉は、様々な講演や書籍から引用されており、『天聖教』の初版と第二版が主な資料となっています。「参考文献」では、これらの本を引用した後、本の番号、章、節、ページ番号を記載しています。その他の書籍のタイトルは、著者名を表記し、続いて出版社、出版年、関連するページ番号を記載しています。スピーチのタイトルは、引用符の前に講演者を、続いて場所と日付を記載しています。

各章に掲載されている引用文には、それぞれ番号が付けられています。読者は、巻末の「参考文献」を参照して、完全な出典を確認することができます。各章に掲載されている引用文の後には、その言葉が初めて語られた日（年.月.日）、またはその言葉が初めて出版物に加えられた日が括弧内に記されています。

目次

第四章　絶対「性」

第五章: 堕落

第六章: 復帰

第一章:
宇宙の根本

宇宙の根本

「宇宙で一番大切なものとは何ですか」と問えば、さまざまな答えが返ってくるでしょう。これは、皆さんも一度は考えたことがある質問ではないでしょうか。これは、真のお父様が若い頃に答えようとされた質問でもあります。真のお父様は、長年にわたる熾烈な祈りと研究を経て、根本的な結論を出されました。真のお父様は、宇宙に対する神様の計画が成就するかどうかは、生殖器を正しく使うかどうかに100%かかっていると悟られました。これは、典型的な宗教的な答えではありません。しかしながら、男女の生殖器は、愛と生命と血統が出会う場所です。ですから、真のお父様は生殖器を宇宙の根本、根源と呼んでおられます。

神様は本来、最初の男性と女性であるアダムとエバを通して、ご自身を永遠の愛の親として確立することを望んでいらっしゃいました。真のお父様は、生殖器を「愛の本聖殿」、「生命の本聖殿」、「血統の本聖殿」とよく言われます。しかし、これらの言葉はそれぞれどのような意味を持つのでしょうか。次の章では、私たちの生殖器の尊さを完全に理解するために、これらの聖殿のそれぞれをさらに探究していきます。これらの引用は、生殖器とそれに対する私たちの責任に関する真のお父様の深い知恵を与えてくれます。これは、人類の新しい可能性を切り開くことができる、まったく新しい考え方です。

真のお父様のみ言

1. 「文総裁が今まで苦心して宇宙の根本を追求した結果、ぴたっと到着したところが生殖器でした。生殖器に至ってじっと考えてみると、天地の調和がここで渦を巻いていたというのです。驚くべき事実です」（1990.1.7）

2. 「男性と女性はなぜ生まれたのですか。男性と女性の違うものは何ですか。男性と女性がどのように一つになるのですか。男性と女性が何を中心として一つになるのですか。生殖器を中心として一つになるのです。これは調和の箱です。この場で、愛の完成が展開するのです。真の愛が初めて完成するのです。それから、男性と女性の生命が一つになる所も、その場です。男性と女性の血筋が交流して植えつけられる所も、その場です。その場が理想的な愛の本宮であり、血統の本宮なのです。絶対的な本然の所を本宮といいますが、誰もその価値を変えることはできません」(1992. 3. 3)

3. 「生殖器とは何ですか。それは、真の愛を中心とした王宮であり、真の生命を中心とした王宮であり、真の血統を中心とした王宮です。最も貴いものです。これがなくなれば天地がなくなり、これがなければ神様の理想、神様の家庭、神様のみ旨を成し遂げることができないのです。これは、全体の完成を成すことができる一つの起源です」(1991. 4. 1)

4. 「私の生殖器は、愛の本宮です。『私の生殖器は、生命の本宮だ、王宮だ。私の生殖器は、血統の王宮だ』というのです。このようになってこそ、神様が臨在なさる王宮になることができるのです。神様は、王の王でいらっしゃるので、本宮を訪ねていってお住みになる方なのです。それゆえに、神様に侍るために愛の本宮になり、生命の本宮になり、血統の本宮になり、良心の本宮にならなければなりません」(1997. 1. 1)

5. 「神様が創造される時、男性と女性の生殖器を中心として造られたのですが、そこには霊的な要素、肉身的な要素、血の要素、すべての要素が連結できる、連合器官になっているのです。皆さんの目の要素もそこにすべてかかっているでしょう？　歯の要素もすべて父母に似るでしょう？　似ないところがどこかありますか。心もすべて似ます。ですから、その器官にすべて集約して、すべての神経器官、血統器官全体がそこにかかっているというのです。根です。それが根っこです。人間の根は頭ではありません。根がそこにあるというのです」(1989. 10. 17)

6. 「アダムとエバの位置は、本宮です。そのアダムとエバの子孫はそのまま宮になるはずですが、本宮の基台を失ってしまいました。男性と女性の生殖器は、そのように驚くべきものです。三大愛の王宮であり、生命の王宮であり、血統の王宮であると同時に、その場から地上天国、天上天国が出発する基地になっているという事実を知らなければなりません。驚くべき事実です」(1995. 1. 8)

7. 「歴史上のすべての人がそれに従っていったのです。とてつもない力をもっています。文化や経済を超越します。堕落した世界でもそうならば、堕落以前の世界ではどうだったでしょうか。考えてみれば、それが最も貴いものです。それが宮殿です。宮殿の中でも本宮です。また生命の宮殿にもなり、血統の宮殿にもなるのです。この三宮殿の基礎が生殖器です。一番重要なところです。神様もそれを訪ねてこられるのです。神様がこの三大王宮を占領したならば、この世は神様の一族になっていたでしょう」 (1993. 1. 28)

8. 「神様は、その中心に住みたいと思われるのです。理想的な家庭、国家、世界は、その根に連結されたいと思うのです。ところが、堕落によってすべてのものを失ってしまいました。悲惨な立場です。男性の生殖器とは何ですか。永遠の愛の王国です。皆さん1代においてだけそうなのですか。違います！ 永遠です。永遠の王宮の位置、永遠の生命の王宮です。そこから、愛を中心として、男性の生命と女性の生命を初めて一つに結ぶのです。生殖器とは何でしょうか。第1に愛の王宮、第2に生命の王宮です。第3に血統の王宮です。これが最も貴いものです。皆さん、それをもって、「幸福だ」と言うでしょう」(1993. 8. 1)

9. 「夫婦の愛と父母の愛が永遠に定着する時は、結婚して愛する時です。愛する時、どこで愛しますか。口、目、耳でもって愛しますか。私は分かりませんが、皆さんはよく知っているでしょう。どのようなものですか。今まで人間は、生殖器を悪いものだと思ってきたのですが、今、レバレンド･ムーンがそれを神聖な本宮だと教えています。どれほど驚くべき男性と女性の生殖器でしょうか。生殖器がなければ、 真の愛、真の生命、真の血統、真の良心を連結できないのです。それなくして天国が出発できますか。できません！ そこを

通ってこそ、自由、幸福、平和の統一世界が可能なのです」(1996.5.5)

真のお父様のみ言に対する感想

真のお父様は、長年の苦悩と祈りの探求の末、宇宙の核心である尊く聖なる生殖器を発見されました。この場所から、天地のすべての調和が展開されるのです。生殖器に対する神様の美しい計画の意味を真に理解し、説明することができた人は歴史上一人もおらず、そのため世界は混乱に陥っていました。真のお父様は、その真理を最初に明らかにされました。真のお父様は、生殖器を恥ずかしいものと考えるべきではないと説明されます。

　この感動的な真理は、男性と女性の生殖器が、愛、生命、血統の本然の宮殿であり、神が望むすべてのものの起源であるということです。宮殿と呼ばれているのは、神の創造物の中で最も神聖で最も美しい住居だからです。その正しい使い方によってのみ、すべての人々が自由と平和と統一と幸福を享受できる、理想的な家庭、国家、世界が発展するのです。神様は、子女達と共に永遠にこの宮殿に住むことができる日を待ち望んでおられます。

現実化する

鷹は舞い降りた

1969年7月16日、NASAの科学者たちがアポロ11号を打ち上げました。その4日後、ニール·アームストロング、バズ·オルドリン両宇宙飛行士が搭乗する月着陸船は、司令船から分離し、トランクアリテイー海の近くに着陸しました。劇的な降下で危うく中止になるところでした。到着後、アームストロング宇宙飛行士は　「鷹は舞い降りた」という有名なメッセージを発信しました。月面に最初の足跡を残した象徴的な写真は、大きなセンセーションを巻き起こしました。あまり知られていないことですが、オルドリン宇宙飛行士はそこで伝統的なウエハースとワインを使って聖餐式を行い、ヨハネの福音書15章5節の「わたしはぶどうの木、あなたがたはその枝である。もし人がわたしにつながっており、またわたしがその人とつながっておれば、その人は実を豊かに結ぶようになる。わたしから離れては、あなたがたは何一つできないからである。」を朗読しました。

月に着陸するという夢は、最初は崇高なアイデアに過ぎませんでした。ジョン･F･ケネディ米国大統領は、1962年に行った有名なスピーチで、この記念すべき目標を追求するよう国民を鼓舞しました。「私たちがこの10年間に月に行き、他のことをすることを選んだのは、それが簡単であるからではなく、それが難しいからです。その目標は、私たちのエネルギーとスキルの最高のものを組織し、測定するのに役立つからです。その挑戦は、私たちが喜んで受け入れるものであり、延期せず我々もそして他の国々も必ず勝ち取ろうとするものだからです。」ケネディは、アメリカが平和的な探査と国際協力のためにリーダーシップを発揮しなければ、地球上の紛争が宇宙でも続くことが懸念されたため、国を挙げて宇宙開発競争に参加するよう促しました。

月面着陸は壮大なプロジェクトでした。アームストロング宇宙飛行士とそのチームを地上から打ち上げるためには、250億ドルの資金と、推定40万人の人々が8年間にわたって働く必要がありました。私たちの想像の中にしかなかったものが、やがて形になり、ロケットが打ち上げられて夢が実現しました。

コマンドモジュールは、NASAの月探査計画の中核をなすものといえます。スラスターは、地球の軌道からモジュールを飛び出させ、月へと推進させる役割を担っていました。もしもスラスターの作動が早すぎたり遅すぎたりしたら、ロケットは宇宙の彼方へと運ばれ、ミッションは失敗します。プロジェクト全体の成功は、コマンドモジュールの正確なタイミングと完璧な性能にかかっていたのです。

アポロ11号の話は、素晴らしい夢を実現するための必要な人数と緻密な計算が劇的に描かれています。それは、神様の心情を理解するために役立ちます。私たちの創造主は、ご自分の理想を実現したいと切望していました。何十億年もの間、神様は100%の心情とエネルギーを注ぎ込んで宇宙を創造し、その中心には信じられないほど美しく複雑な生殖器がありました。アダムとエバが適切な時期に性的に一つになることで、神様が目指していたすべてのものが成功裏にスタートしたのです。愛と生命と血統の宮殿である生殖器には、このような意義があります。

真のお父様が生殖器を強調されるのは、生殖器が宇宙の根本であるからです。性愛には特別な季節があり、それは神様の計画とタイミングに沿ったものでなければなりません。アダムとエバを中心として始まることになっていたこの綿密で素晴らしい永遠の世界の創造には、必要な順序がありました。神様の計画では、成長のための期間と、戒めの厳格な指示に従わなければなりませんでした。アダムとエバは、結婚式の後、夫婦の愛を経験して一つになることを許されていたのです。月面着陸の成否がロケットの発射タイミングにかかっていたように、神様が創造計画を成功するには、アダムとエバの忍耐と自制心、神様のみ言に対する従順にかかっていたのです。真のお父様が　　「本当に驚くべきことです！」と叫ばれるように、生殖器は宇宙の根本なのです。

考察点·アクティビティ

· あなたは生殖器が宇宙の根本であるという真のお父様の啓示をどのように感じどのように考えますか？

· あなたの人生で重要な出来事や瞬間でタイミングが合い成功したことを話し合ってみましょう。

· 生殖器が本来の価値でもって尊重され、重要視される世界では、家庭生活、学校、娯楽、結婚などはどのようになるのでしょうか？

愛の本宮

子供の頃、親友と一緒に、二人だけが知っている特別な場所に行ったことはありますか？他の誰でもない、あなたとあなたの友達だけの秘密の隠れ家でしょうか？真のお父様のみ言を読むと、神様が生殖器をお作りになったとき、このような考えで作られたのではないかと思います。神様は夫と妻だけが夫婦として神様に繋がる特別な場所を創造したかったのでした。生殖器はその特別な場所であり、夫婦だけが共有する愛の本宮なのです。

真のお父様のみ言

10. 「アダムとエバの生殖器、その場所が偉大だというのです。それゆえに、その生殖器は愛の本宮といいます。驚くべき言葉です。天地創造のすべてを、神様まで完成させて安息させることができる王宮であり、本宮です」。（1996. 5. 24)

11. 「統一教会の教主が性教主になった、という話が出てくるかもしれません。性というものが堕落していなければ、それが愛の本宮です。いつも王が定住することのできる、生活することのできる本宮だというのです。愛の本宮であることを知らなければなりません。生殖器が本部であり愛の宮殿だというのです」(1996. 5. 24)

12. 「愛する夫婦二人が関係を結ぶ生殖器は、愛の王宮だというのです。そこから愛が始まるのです。真の愛の王宮です。最初の出発をする場所なのです。そうか、そうでないか考えてみてください。生殖器は、愛の王宮です。堕落する前の観念で見るならば、生殖器は、愛の王宮だというのです。生命の王宮、血統の王宮です。愛を中心として男性と女性が一つ

になる、そこに生命が連結して血統が受け継がれるのです」(1994. 2. 15)

13. 「神様が理想とした本然の、アダム以降、堕落していないその生殖器が、真の愛を中心として神様と共に一つになり、血統と生命を連結させるべき本拠地となって本宮にならなければなりません。これは、本然の愛の王宮です。愛の本宮です」(1998. 2. 2)

14. 「それら(生殖器）が出会うことが、最高のクイーン、キングになる理想です。それを愛といいます。そのように愛を行った人は、神様のように、神様の息子、娘となって、一つの同等な理想的生活圏に同参することができます。そのような価値ある人間として造られました」(1983. 10. 2)

15. 「女性の生殖器が宇宙的な本源です。愛の関係をするその位置が愛の本宮になっています。本然の宮中だというのです。愛はそこから始まります。結婚初夜の愛が愛の本宮の出発です。女性の生命、男性の生命が初めて一つになるのです。それゆえに、理想的な生命の本宮がその場所であり、血統がそこから始まるので、血統の本宮がその場所だというのです。そして、天国がそこから始まるので、そこが地上天国の本宮であり、天上天国の本宮であり、人間完成の本宮であり、神様完成の本宮です」(1994. 3. 16)

16. 「生殖器を神様に侍るよりもっとよく侍って、神様よりもっと愛さなければなりません。それでこそ神様が喜ばれます。全く、そのような話がどこにありますか。宗教界で聞けば、びっくりして飛び上がってひっくり返るかもしれませんが、これは明らかな事実です。神様の理想の愛に侍ってこそ、神様が定着することのできる足場が生まれるのです。生命より大切であり、世の中を与え、天地を与え、神様まで与えても取り替えることができないものです。創造物全体を合わせた以上に妻の生殖器を崇拝して、それ以上に愛してその価値を認めてこそ、神様が自分の家に訪ねてこられるというのです」(2000. 7. 1)

17. 「愛の王宮はどこですか。このような話をするからといって、おかしく思わないでください。それを正すことができなければ、世の中がすべてずれていくのです。前後関係が合わなければ、全天下によこしまなものが生じてくるのです。文総裁が今まで苦心して宇宙の根本を追求した結果、ぴたっと到着したところが生殖器でした。生殖器に至ってじっと考えてみると、天地の調和がここで渦を巻いていたというのです。驚くべき事実です」(1990. 1. 7)

18. 「 結論として、神様が人間を造られる時、最も苦労してつくられたところはどこでしょうか。目ですか、口ですか、鼻ですか、手ですか。人間たちは、そのことを考えてもいないというのです。それが愛の本拠地です、愛の本拠地。愛の本拠地とはどこですか。男性と女性のそれをいうのです。それが愛の本宮だったというのです。そこから、男性の愛を知り、女性の愛を知るようになるのです。それがなければ愛が分かりません。愛の主人が現れることができません。男性の愛の主人は女性であり、女性の愛の主人は男性です。愛の主人になることができる資格をつくるのが愛の器官です」(1999. 6. 14)

19. 「愛の器官をいい加減に扱えば、罰を受けるようになっています。それが愛の王宮であり、愛の先祖の園です。愛は、そこから出発しました。地上天国の起源であり、天上天国の起源であり、神様の幸福の出発の起源がそこから形成されるというのです。神様の笑いの基台がそこから出発するのです。愛を探し当てて、神様が踊ることのできる場がその場です。その場を尋ね求めていかなければなりません」(1994. 3. 13)

真のお父様のみ言に対する感想

真のお父様は、生殖器を愛の宮殿と呼んでおられます。それは夫婦が最も親密につながり、永遠の愛の絆を作る場所であるからです。さらに、真のお父様は、私たちが神様を敬う以上に、自分の生殖器と配偶者を敬うようにと教えておられます。若者が将来の配偶者のために純潔を守ることは、愛の原型となる宮殿を守ることです。このようにして、彼らは自分の性を神の価値観と一致させるために自分を訓練することを学びます。成熟して祝福された後、彼らは夫と妻としてお互いを思いやり、性的な愛の完全さを経験します。二人の愛の成長から新しい命が生まれ、神の血統を永続させます。神様はその夫婦や家庭に定着し、そこで神様は心から喜ぶことができるのです。生殖器が「愛と生命と血統の宮殿」と呼ばれるのはそのためです。

現実化する

フランシス·ホジソン·バーネット著　秘密の花園

これは、秘密の花園での幸せと癒しの物語です。メアリーは、インドで家族をコレラによって亡くし、イギリスの親戚の家に預けられた不幸な病弱児でした。彼女は、100以上の部屋がある広大な古い屋敷で、叔父のアーチボルド·クレイヴンと暮らします。叔父は10年前に最愛の妻を亡くして以来、無愛想で悲しみに暮れていました。彼と妻は、花園の小道を歩き、花を楽しみながら美しい思い出を作りました。今では花園を見ると妻の死を思い出すため、誰も入れないように鍵をかけたままでした。

メアリーの体調は回復し始め、特に花園の鍵を見つけたときには、花園を蘇らせるために密かに働き始めました。しかし、家の中から奇妙な声が聞こえ始めると、メアリーはますます興味を持ち、調査することにしました。家の中の禁じられた場所にそっと忍び込み、驚くべき発見をしました。その泣き声の主は、アーチボルドの病弱な息子のコリンでした。悲しみに暮れる父親はコリンのそばにいられず、彼は個室に隠されていたのでした。彼の出産で妻を亡くしたアーチボルドは、妻の死を息子のせいにしていたのでした。メアリーは少年の話を聞き出し、二人は秘密の友情を育んでいきました。コリンはずっと病気で寝込んでいて、父のようにせむし男になる運命だと感じていました。召使がコリンの世話をしてきたため、コリンは自己中心的な性格になっていました。両親を亡くした悲しみから敏感になっていたメアリーは、コリンに同情し、やがて彼を隔離から解放して花園に連れ出しました。

秘密の花園は、2人の子供たちにとって守られた場所となりました。そこには、幸せ、癒し、そして希望を見出せました。この心温まる物語にはまだ続きがあります。ある日、アーチボルドは妻からの「花園で会いましょう」という夢を見ます。妻との再会を期待して花園に入ると、そこには回復して歩けるようになったコリンがいました。アーチボルドとコリンが抱き合うと、父親の心は癒されました。父と子の幸福な和解は、妻が生きている間に夫と妻が大いに楽しんだ愛の記憶を蘇らせました。

秘密の花園は、誰もが希望を見いだせる場所となりました。子どもたちは、幸せ、希望、友情など、心の底から望んでいるものを見つけることができました。アーチボルドは、息子を抱きしめ、愛することで、妻との再会を果たしたのでした。この美しい場所は、夫妻がお互いの愛情を込めて作り上げたものでした。こうして彼は再びこの場所を楽しむことができ、二人の散歩を懐かしく思い出せるようになります。秘密の花園は、花園に入る人にとって宝物となり、夢が叶う場所となったのです。

真のお父様が教えてくださったように、神様は愛の原型である宮殿を、愛と希望が育つように、夫婦二人だけの神聖な場所としてお作りになりました。愛の宮殿は、夫婦が人生の試練に立ち向かうために、お互いに充電し、励まし合う避難所となります。祝福結婚を受けた夫婦が、二人の生殖器が出会う場所である秘密の花園に行くとき、神様は喜びを体験し、神様の傷ついた心は二人の愛と結合によって癒されるのです。

考察点·アクティビティ

- 真のお父様が、生殖器を愛の宮殿と呼ぶのはなぜだと思いますか？
- あなたにとって大切な場所を思い出してみてください。そこでの思い出はどんなものがありますか？あなたにとって何が特別でしたか？
- 愛の宮殿を配偶者とだけ共有することで得られることは何でしょうか？
- 配偶者と性的関係を持つことがあなたの人生にどのような恩恵をもたらしますか？

生命の本宮

人生で最も華やかな出来事のひとつは、子供の誕生です。ユニセフによると、これは1日に約35万3,000回も起こっているそうです。これは何と素晴らしいことでしょう。世界中のお母さんやお父さんがこの奇跡を経験することは、天の父母様にとっても大きな喜びとなります。私たちの創造主が設計した生殖、妊娠、出産のための投資と心情は、驚くべきものです。この信じられないような生命の起源について考え、真の父母のみ言からインスピレーションを得てみてください。

真の御父母様のみ言

20. 「男性と女性の生殖器は、愛の宮です。愛の王宮です。子宮が貴いですか、男性と女性のそれが貴いですか。言ってみなさい。子宮のために生殖器ができましたか、生殖器のために子宮ができましたか。深刻な話です。笑う話ではありません。男性がいるために子宮ができたのです。女性のそれは、男性のためにできたのです。なぜおかしな表情をするのですか。男性と女性の生殖器は、愛の王宮です。それがなくては愛がありません。愛を探せません。それを通らなくては、生命が連結されません。男性と女性がいても、何になりますか。生命が連結されないのです。それを通らなくては、歴史を連結させる血統が連結されないのです」真のお父様（1993. 2. 28）

21. 「人間が堕落していなければ、男性の生殖器が愛の王宮です。愛の王宮なのです！　それをいい加減には使用できません。そして、生命の王宮です。そこから生命が生まれるでしょう？　生命がどこから出てきますか。生命の王宮です。血統の王宮です。そこから、自分の命が血統を受け継いで生まれるのです。私の生命の根源地であり、私の血統の根源地であり、私の愛の根源地です。それゆえに、先祖がそれを通じ、貴く思い、『ため』に生きなければならなかったのです」真のお父様（1990. 10. 3）

22. 「生殖器は、真の愛を中心とした王宮であり、真の生命を中心とした王宮であり、真の血統を中心とした王宮です。最も貴いものです。これがなくなれば天地がなくなり、これがなければ神様の理想、神様の家庭、神様のみ旨を成し遂げることができないのです。これは、全体を完成し得る一つの起源です」 - 真のお父様（1991. 4. 1）

23. 「私たちは、母親の子宮から始まりました。子宮は、私たちが育った最初の世界でした。生まれたとき、私たちはその世界から切り離され、新しい世界に入りました。同じように、死を迎えると、霊人体は子宮のような肉身から切り離されて飛び去ります。人間は、水の世界、陸と空の世界を経て、永遠の愛の世界に住むようになるのです」 真のお母様（1999）

24. 「私たち自身を見るとき、『私』が一生の間暮らすところはどこから始まるのでしょうか。結局は父母から始まるというのです。皆さんはどこから暮らし始めたかといえば、生まれて生きる前に、父母の腹中で暮らし始めたのです。腹中にいるときは、母のすべての要素を吸い、すべてを吸収して大きくなります。腹中にいる赤ん坊が望むことがあるとすれば、母がいつもうれしく思い、喜び、歌を歌って幸せそうにすることです。それが腹中にいる赤ん坊の最高の願いでしょう。ですから、胎教というものが必要です。美しい歌を聞き、美しい景色を見て、美しいことを考えなさい、というのです。そうすれば、赤ん坊にも良いのです」真のお父様（1974. 11. 10）

25. 「生殖器は、生じるの「生」の字に、食事の「食」の字でも、植えるの「植」の字でも良いのです。生命を植える器だというのです。その次には、繁殖するの「殖」の字でもかまいません。生殖器が生植器だというのです。そのように解釈します。分かりますか。生命を植える器です」 真のお父様（1999. 6. 13）

26. 「神様が、どれほど喜んでつくられたでしょうか。最も喜んでつくられ、最も精誠を尽くしてつくられたものが、男性と女性の体の中のどこだろうか、何だろうかを考えてみてください。それが生殖器だというのです。生食する米を入れる器（生食器）ではありません。生殖器といえば、「生きるものを植えることができる器だ（生植器）」だというのです。生命の生殖です。生命を植えることができる器だというのです。その場がなければ、千年、万年たっても生命が生まれないので、国もなく、世の中は暗黒天地、砂漠天地になるのです。それを知らなければなりません」真のお父様（1997. 4. 13）

真の御父母様のみ言に対する感想

真の父母様は、生殖器は生命と愛と血統の本宮であると教えてくださいました。この章では、「生命の王宮」についてお話しします。生殖器は、新しい命を植え、生み出すように設計されており、私たちの体の中で最も貴重な部分となっています。私たちの神経や血管は、すべてこの根につながっています。

私たちは人生の最初の段階を母親の胎内で成長していきます。ここで新しい生命は肉体的にも心霊的にも養われ、保護されます。このような理由から、真の父母様は、妊娠中のカップル、特に母親に、環境は成長中の子供に最も大きな影響を与えるので気を配るように勧めています。妊婦が平和な考えを持ち、美しい音楽に耳を傾けると、健康的で愛に満ちた雰囲気がつくられ、子宮の中の子供の感情と霊的な健康に貢献します。新しい生命を迎えること以上の幸せはありません。真の父母様は、この特別な時期に夫婦が喜びに満ちた生活を送ることを勧めています。

現実化する

新しい生命の奇跡

私たちは宇宙を見ると、そのデザインに畏敬の念を抱きます。真のお父様は少年時代、北朝鮮の田舎にある実家の周りの丘や野原を探検され、神様の性相を教えてくれる植物や動物、山や川に感嘆されました。自然に思いを馳せると、神様は何かを創造するときに、それが環境の中で他の創造物とどのように相互作用するかを考えて創造したのだろうかという疑問が自然と湧いてきます。自然界の要素が様々な形で互いに補い合い、支え合っている例は数え切れないほどあり、それは永遠に続くように宇宙を設計した独創的な創造主の証でもあります。被造物を見ると、神様の最大の功績は、人間の生命の計画、すなわち神様の子女の創造であると結論づけることができます。愛するという行為と生殖器は、神様が無限に子女たちを愛する手段でした。

真の父母様は、人生には3つの段階があると教えています。生命の第一段階は水の世界であり、胎内で始まります。第2段階は地上での生活で、第3段階は霊界での生活です。生命の第一段階は、男性の精子が女性の卵子とうまく結合することで始まります。最近、科学者たちは特殊な画像処理によって、この時に目に見える火花が出ることを発見しました。

生命の始まりはとても小さいものです。4週目の胎芽は米粒ほどの大きさで、12週目ではわずか1.5センチです。最初に現れる特徴は、鼻、まぶた、耳ですが、口はありません。胎芽には、カエルのように足指に網目のある手足があり、脳と脊髄が発達し、心臓やその他の器官も形成されています。この頃になると、胎芽の見た目も少しずつ変わってきます。生殖器が写真に写るのもこの頃で、性別がわかります。妊娠初期の終わりには、胎芽は胎児になります。

胎児は、へその緒を通して常に栄養を与えられています。母親がサラダやバナナを食べると、その栄養分は母親の血液に吸収され、へその緒を通って赤ちゃんの血液に流れ込みます。

およそ17週目になると、骨の構造が固まり、胎児が反転したり転がったりできるようになります。サイズはまだ小さく、頭からお尻までの長さが4.5インチしかありません。25週から27週になると、肺が形成され、新しく発達した耳によって胎外の音を聞くことができるようになります。

37週頃になると、赤ちゃんは母親の胎内から人生の第2段階へと旅立ちます。生まれたばかりの赤ちゃんが初めて空気を吸うと、その魂は小さな体に入り、家族の愛の中で成長していきます。これは、神様の素晴らしい創造の計画です。

マイケル＆ニコル·ラ·ホーグ、誇り高き新しい父母

アメリカとドイツから来たこの美しいカップルは、2018年に祝福

結婚を受け、第一子を出産した数週間後にこのストーリーを話してくれました。

ニコル·ラ·ホーグ

「2019年、ノース·カロライナ州で夫のミッキーと私がともにリラックスしながら幸せな時間を過ごしているときに、エライジャ·ラ·ホーグを身ごもりました。それ以来、私たちの理解、適応、そして変化の旅が始まりました。私の妊娠は、私にとって美しい時期でした。出産という最後の瞬間に向けて体が準備され、お腹が大きくなっていくのを見るのが好きでした。

新しい命を生み出すことの大切さを説く真の父母様の教えから、妊娠は赤ちゃんにとって大切な時期であることを知っていました。私はできる限り幸せで楽しい時間を過ごしたいと思いました。しかし、いつも自分が思うような生活ができていなかったのですが、それでも前向きな気持ちを保ち、許し、赤ちゃんのために愛し続けようと意識した時もありました。私はいつも「天寶（韓国の清平天地修練院）に行きたい」と思っていました。そこでは、神様や自分自身、そして周りの自然を通して平和を必ず見つけることができると思っていたからです。残念ながら、コロナウイルスの世界的な流行のため、私はドイツを離れることができませんでした。

ただ、このパンデミックのおかげで、夫は私の妊娠末期まで自宅で仕事をすることができたのです。私は出産に向けて肉体的にも精神的にも準備をしました。私はポジティブなことだけに集中しました。ミッキーとの時間は本当に楽しかったです。毎日、二人で祈りの条件をなし、エライジャのために歌を歌い、神様のみ言葉を読みました。夫の温かさと愛が、この期間の重要な役割を果たしました。

出産は、私にとって忘れられない経験でした。きっとすべての母親にとって、出産は特別でユニークな瞬間であるでしょう。出産は、より高い目的のための純粋な自己否定と犠牲であるということが、私の心の中に浮かびました。これまでで最も苦しい経験のひとつであったにもかかわらず、私は薬を飲むことを拒否しました。お腹の赤ちゃんを傷つけたくなかったし、お腹の赤ちゃんのそばにいてあげたかったからです。出産後、急に自分の母親が身近に感じられ、感謝の気持ちでいっぱいになりました。また、真のお母様が14

回も出産されたことを振り返りました。私は何度も出産したスーパーウーマンへの尊敬と称賛の念を抱かざるを得ません。

ミッキー·ラ·ホーグ

ニコルが上記したように、私たちは息子が生まれる前の約2ヶ月間、祈りの条件をし、毎日訓読会の勉強をし、毎日歌を歌いました。その期間、私は聖なる環境を投資と誠実さでもって聖なる環境を作ることは息子のためになると強く感じました。特に最後の2ヶ月間は、家の中でとても平和で幸せな時間を過ごしました。それが、エライジャが忍耐強く穏やかな赤ちゃんである理由の一つだと確信しています。

父親になって最も驚くべきことの一つは、まったく無力で感謝の心を持たない人間に対して、自分が100%責任を負っていることを悟ったことです。私は、無条件の愛を与えることを学ばなければならないという特異な状況を経験しました。親になったことで、父母が経験したことを自分も経験することになり、父母や神様をより理解できるようになりました。出産を目の当たりにし、父親になるということは、とても非現実的な体験です。人生の中で、自分が何者であるか、人生における自分の責任が何であるかについて、これほど大きな変化を感じた瞬間はありません。父親になって2週間経った今でも、永久的な変化を理解し難いですね。今でも時々、彼を病院に戻して、「以前の」生活に戻るのかと感じたりします。

出産は素晴らしいものでした。ニコルはとても強い決意と集中力を見せてくれました（そして、ちょっと怖くなりました。笑）ニコルの中から実際にエライジャが出てくるのを見て、まったく不思議な感じがしましたが、とても美しく、ニコルが本能的にエライジャを抱いている様子はとても素晴らしいものでした。母親というのは自分の赤ちゃんを守りたいと思うように神様がデザインしたことがよく理解できました。自分が父親になったこと、そしてこの小さな人間がずっと母親のお腹の中にいたことを理解するのはとても難しいことでした。エライジャは今、私たちと一緒にいます。彼の誕生は間違いなく、私の人生で最高の瞬間のひとつです。

考察点·アクティビティ

- なぜ神様は人間に3段階の生命をデザインしたと思いますか?
- 神様はなぜ、生殖器の結合によって子供が誕生するようにデザインしたと思いますか?
- 新しい生命の創造に畏敬の念を抱いた経験はありますか?あなたの経験を話してみてください。
- 胎児の発育についてのビデオ(ノヴァのビデオ「生命の最大の奇跡」)を見てみましょう。(55分)

血統の本宮

もし、過去に戻ってどんな人にでも会えるとしたら、あなたは誰を選びますか？マザーテレサ、キング牧師、リンカーン米国大統領、イエスなど、有名な人物が思い浮かぶかもしれません。しかし、興味深い人物の中でも、自分の祖先に会うことができたら素晴らしいと思いませんか？あなたの高祖父母との会話を想像してみてください！物腰や身体的特徴などの共通点が見つかるかもしれません。彼らの選んだ道があなたの家族にどのような影響を与えたかを知るのは興味深いことではないでしょうか。私たちの祖先は、その血統を通じて、私たち一人ひとりの中に永遠にこの世界にその足跡を残しているのです。

真のお父様のみ言

27.　「覚えておいてほしいのは、すべての祖先があなたの血の中で、そこに並んで待っているということです。何百世代もの先祖が並んで待っていて、あなたの生殖器の先端で最高の子孫を期待していることを、いつも思い出す必要があります」。(2001. 2. 18)

28.　「男性と女性が愛する本宮、生殖器とは何ですか。愛の王宮であり、生命の王宮であり、血統の王宮です。おじいさん、おばあさんもそれを中心として生き、父と母もそれを中心として生き、自分たち夫婦もそれを中心として生き、将来生まれる息子、娘もみなそれを中心として生きるのでしょう？それを中心としないで生きる女性がいて、男性がいますか。種がありません。ところが、それがなぜ悪いものになりましたか。下品な言葉だというでしょう？　なぜ下品な言葉なのですか。神聖な言葉です。神聖な言葉として受け止めなけれ

ばなりません。ここで永遠の愛が連結され、永遠の生命、永遠の血統が出てきます。最も貴いのです」。(1990.12.1)

29.　「頭よりも、それがもっと重要です。頭には真の愛の起源がありません。頭には真の生命の起源がありません。頭には真の血統の起源がありません。その起源は生殖器にあります。それは間違いないでしょう？　生殖器にすべてのものがあります。そこに生命があり、愛があり、血統があります。そこが愛の本宮なのです。生命の根もそこにあります。血統も同じです。人間の体だけでなく、人間世界と人類歴史を通じて最も貴いところです。それがなければ人類の繁殖が不可能です」(1990.6.17)

30.　「神様のように永遠不変でなければなりません。神様のように、絶対的にユニークで永遠不変の内容をもって愛が定着するところは、生殖器です。今まで誰もそれを知りませんでした。それほど貴い生殖器だというのです。祖父母、父母、夫婦、将来の皆さんの息子、娘もみな、生殖器が一つになるところで幸福な家庭が成されるのです。それが壊れれば、家庭全体が壊れるのです。おばあさんもおじいさんの生殖器をつかんで永遠に放そうとせず、おじいさんもおばあさんの生殖器を占領して永遠に失うまいとするのです。生殖器から愛、幸福、自由等、すべてのものが出発します。それは否定できません」(1996.5.24)

31.　「神様が精誠を尽くしてつくられたものがそれです。すべての被造万物の核心的な骨髄を絞り出して連結させたのです。ここに愛の本質が100パーセント連結され、生命の本質が100パーセント、歴史の本質がここから芽生えるのです。そこから初めて希望があり、そこから初めて幸福があり、そこから初めて愛を中心とした自由圏が始まるのです」(1994.7.23)

32.　「人間の生殖器が真の愛の場所です。そこで愛の行為が連結されるでしょう？　ほかの所でそのようになるのではありません。そこが男性と女性の生命が連結され、一つになる宮殿です。そして、男性と女性が一つになれば、その血統から息子、娘が出てくるのです。ですから、血統の宮殿です。それほど重要なのです」(1992.6.7)

33.　「全万物世界の最終理想的吸収の終着点がどこかといえば、

男性と女性の生殖器だというのです。それは事実です。なぜですか。どうしてですか。神様の愛と人間の愛と宇宙の愛が結合するのです。愛と生命が一つになる位置がその場です。そして、血統を通じて縦的に後孫が連結する位置がその場です。そのように縦的に引き継がれて、横的に数え切れないほど多くの民族が連結されるのです。それによって地上天国が形成されるというのです。そのような価値をもつのが生殖器です。どれほど重要ですか」(1995. 4. 9)

34. 「絶対信仰、絶対愛、絶対服従とは何でしょうか？これらはすべて生殖器に関わる用語です。堕落とは、神様と人間の生殖器が一つになれなかったこと、一体となれなかったことを指します。絶対に信じなければなりません。生殖器が私たちの家庭、氏族、血統の歴史の柱なのです」(1999. 10. 10)

35. 「神様の愛と人類の愛 はどこで出会うのでしょうか？愛と生命と血統が定着する所です。その場所がなければ、愛と生命と血統はつながりません。その場所、つまりその生殖器は何のためにあるのでしょうか？それは、男性と女性の生命がつながり、血統と血が交わる所です。神様の生命、愛、血統と、男女の生命が、この一点で定着しつながるのです。それによって、彼らの子孫が生まれてくるのです」(1990. 7. 7)

真のお父様のみ言に対する感想

真のお父様は、神様がすべての被造物を創られたのは、神様の子供たちを通して、神様の永遠の血統をこの地上に実質的に確立するためであることを発見されました。神様の王国が確立されるのは、生殖器を通してです。それは血統の本宮であり私たちの生命を先祖や子孫と結びつけ、過去と未来の両方に連結させる体の一部です。神様は、祖父母、父母、子の世代が生殖器を通してつながることを意図されました。

だからこそ、神様は目や鼻、心臓や脳よりも生殖器に最も注意を払って創造なさったのでしょう。この器官は、人体上だけでなく、歴史上で最も貴重なものです。生殖器の独創的なデザインなしには、生命も愛も血統も不可能です。幸福も自由も、大切なものはすべてそこから始まります。この器官がなければ、人間の生命は途絶えてしまいます。このように、生殖器は、神様の王国を成し遂げるために永遠に続く世代の源泉となるように、神様によって創造されたのです。

現実化する

DNA: 独自性と類似性のための神様の計画

「あなたはわが内臓をつくり、わが母の胎内でわたしを組み立てられました。わたしはあなたをほめたたえます。あなたは恐るべく、くすしき方だからです。あなたのみわざはくすしく、あなたは最もよくわたしを知っておられます」。(詩篇139:13-14)

科学は遂に一人一人が個性的であるという宗教の主張を支持しました。一方で、神様が私たちをそのように創ったということについては、まだ同意していません。最近の研究では、23アンドミー社などの協力により、DNAに関する新たな発見がありました。遺伝学では、私たちが人間であるという青写真が含まれている人間の生命の構成要素を識別する上で、驚くべき進歩を遂げています。

DNAは、人間をはじめとする大部分の生物の遺伝物質であります。科学者たちは、DNAが各個人の個性的なアイデンティティに反映していることを知りましたが、さらに、人間同士の近さを示すものでもあります。人間の遺伝子の違いは、通常0.1%程度で、それほど大きな違いではありません。注目すべき点は、一人ひとりのゲノムが固有のものであり、46本の染色体が23対で構成されたゲノムのコピーが、私たちの体のほとんどすべての細胞に存在しているということです。私たちは、完全で個性的な神様の創造物であると同時に、同じ人類の家族の一員として互いに関連しているのです。

最も関心深いことは何十億人もの人が生まれても、まったく同じ人はいないということです。統一原理の教えによれば、人はそれぞれが神様の独自の顕現であります。赤ちゃんのゲノムは、母親の卵子が父親の精子と結合することで形成されます。この2つの細胞は、配偶子と呼ばれる特殊な細胞でできています。この細胞は、私たちの体にある他の細胞とは大きく異なる点があります。染色体の数が通常の半分しかないのです。なぜでしょうか？精子が卵子と結合して受精すると、父親のゲノムの半分と母親のゲノムの半分が混ざり合い、次の世代の完全なゲノムが形成されます。

「神様は創造する前に、創造されるべき各存在のために個別イメージを心に描いていました。...無限の喜びを得るために、神様は無数の個人を、それぞれの個人が神様の個別イメージに似るように創造しました。私たちは、神様が私たち一人一人から独自の喜びを得るために、私たちに独自の個性（個性体）を与えてくださったことを理解する必要があります」。(注[4])

神様によってデザインされたこのような複雑なプロセスを経ることで、生命と血統は永遠に続き、赤ちゃんは生まれ続け、それぞれの赤ちゃんは次の赤ちゃんとは違った個性を持っています。真のお父様は、このような多様性が天の父母様にとって大きな喜びとなることを教えてくださいました。天の父母様は、無限の子供たちの愛を受けたいと思っています。それだけ、神様の心は大きいのです。血統の科学について学ぶにつれ、私たちは独特でありながらも、似た個々人の終わりのない世代を経ながら、神様の無限の神聖な特徴を受け継ぐという神様のデザインに畏敬の念を覚えます。

相続:肉身以上のもの

相続とは、財産や身体的特徴を受け継ぐことだけではありません。私たちの運命を決定づける個性や行為もまた、血統の産物なのです。

近年、エピジェネティクスの研究が注目を集めており、遺伝性について驚くべきことが明らかになっています。エピジェネティクスとは、私たちの遺伝子発現が、環境、思考、経験によってどのような影響を受けるかを探る学問です。それだけでなく、私たちの行動や習慣が、次世代に引き継ぐ形質に影響を与え、さらには変化させることができることも明らかになりました。

私たちの人生が後世に与える影響を説明するために、全く異なる2つの系図を比較した興味深い例を見てみましょう。ここでは、有名な伝道師·神学者であるジョナサン·エドワーズ（1703-1758）の子孫と、同時代の悪名高いマックス·ジュークス（1720年頃生まれ）の子孫を比較した記述があります。彼らの子孫については、ラリー·バラード氏の記事「多世代の遺産- ジョナサン·エドワーズの物語」に記載されています。

伝道師·神学者として名高いジョナサン·エドワーズと妻のサラ

4.（注）李相憲『統一思想の説明』(ブリッジポート:統一思想研究所、1981)、103.

は、素晴らしい結婚生活と家庭生活を送っていました。彼らは11人の子供を生みました。エドワードは、1700年代半ばには珍しく、妻子に非常に優しく気を配ることで知られていました。この夫婦仲の良さは、後世に受け継がれていきました。ある家系調査で、この夫婦の子孫の職業が判明しました。そのリストには、米国副大統領1名、上院議員3名、知事3名、市長3名、大学学長13名、裁判官30名、教授65名、公職者80名、弁護士100名、医師62名、陸軍･海軍将校75名、聖職者･宣教師･神学教授100名が含まれていました。事実上法を犯した者は誰もいませんでした。(注[5])

マックス･ジュークス（本名ではない）は、ジョナサン･エドワーズと同じ時代に生きた人物です。彼と彼の家族は、ニューヨーク州の森の中で釣りや狩りをして生活していました。彼の私生活については、深酒をして婚外子を産んだという評判以外は、あまり知られていませんでした。しかし、ニューヨークの刑務所に収監されていた42人の男の家系図がジュークスに由来していることが判明し、系図学者の注目を集めました。ジュークスの子孫には、7人の殺人者、60人の泥棒、128人の売春婦、140人の受刑者、440人のアルコール依存症の人々が含まれていました。1,200人の子孫のうち300人が早死にし、67人が梅毒に感染したと報告されていました。(注[6])　さらに、ジュークスの子孫は、州に100万ドル以上の損害を与えたと推定されています。

ジョナサン･エドワーズとマックス･ジュークスの話は、一人の人間の人生が将来の子孫に与える影響の大きさを物語っています。一方の人生は善を増やし、他方の人生は痛みと苦しみを生み出します。真のお父様は、神聖な生殖器を血統の本宮と呼び、その使い方によって天国にも地獄にも行けることを説明されています。生殖器が不注意に扱われると、下品で卑しいものになり、家族全員が何世代にもわたってバラバラになってしまうかもしれません。真のお父様は、生殖器の主人が自分の生殖器を神聖視するとき、愛と幸福と自由を生み出す歴史の支柱になるとおっしゃっています。

---

5. (注) Larry Ballard, “Multigenerational Legacies - The Story of Jonathan Edwards,” July 1, 2017, (ラリー・バラード,『多世代にわたる遺産 - ジョナサン・エドワーズの物語』2017年7月1日) https://www.ywam-fmi.org/news/multigenerational-legacies-the-story-of-jonathan-edwards/.

6. (注) 同上

神からの幻のビジョン

ダラス家庭教会の元牧師であるマーク・ヘルナンデスは、霊的に生まれ変わる、忘れられない体験をしました。大勢の人が光り輝く物を持って、大きな籠に向かって歩いていくビジョンでした。籠の中は空っぽでしたが、一人一人がルビーやエメラルドなどの宝石を入れていきました。やがて、それは最も美しく輝く宝物でいっぱいになりました！

マークは、彼らが自分の祖先であり、それぞれの品物が彼らの生前の善行や犠牲を象徴していることを理解しました。マークは、これらのお供え物はすべて、自分とその子孫への祝福として愛情を込めて捧げられたと直感しました。そして、自分が真の父母様に会うことができたのは、ご先祖様の努力のおかげだと深く感じました。

DNAには、私たちの過去と未来、祖先と子孫のすべての血統の青写真が含まれています。それは身体的な青写真だけではなく、心霊的な青写真でもあります。私たちは、すべての祖先から心霊的なメリットを受け継いでいます。私たちは、先祖のすべての善行と生涯におけるすべての犠牲の恩恵を受けています。同じように、私たちの子供や子孫は、私たちが生きている間に蓄積した恩恵を受けます。

これらの宝物を未来に渡す手段として、私たちは生殖器を与えられたのです。祝福カップルが愛を交わすとき、神様が宿ることのできる、歴史上かつて見たことのない、まったく新しい血統が始まるのです。だからこそ、一人一人の生殖器は血統の本宮なのです。

考察点·アクティビティ

家族の中で代々受け継がれた両親、祖父母、先祖の話があれば話し合ってみてください。それはあなたにどのような影響を与えましたか？

あなたは両親や祖父母からどのような性質を受け継ぎましたか？

子孫はあなたから何を引き継いでもらいたいですか？

この章の内容が血統と生殖器のつながりにおけるあなたの観点にどのような変化をもたらしましたか？

第二章:
「性」に対する神様のデザイン

生殖器に対する神様の目的

新しい自転車や本棚、ベッドなどを自分で組み立てようとすると、誰もが頭を悩ませます。何をやってもダメなときは、どうしても説明書を見るしかありません。でも、もし説明書がなかったらどうしたらよいでしょうか？それが生殖器の場合です。歴史上、誰もその目的を知らなかったので、私たちは自分で解決しなければなりませんでした。セックスは私たちに大きな喜びを与え、新しい生命を生み出すものですが、一方では混乱や心の傷につながることもあります。なぜそうなるのか、生殖器の真の目的は何なのか。真のお父様はこれらの疑問の答えを得るために奮闘されました。そのための鍵は、神様が何を考えて生殖器をデザインされたのかを知ることです。この章·節では、真のお父様のみ言で明らかにされた、神様の性のデザインと目的を掘り下げていきます。

真のお父様のみ言

36.　「生殖器という器官は、何か魔法を使う器官かというのです。愛というものを連結させる器官であり、男性の生命と女性の生命を連結させる器官であり、男性の血と女性の血を混ぜ合わせて連結させる器官が自分の体の中にあり、それが生殖器です。そのとおりですか。この根本を追求してみれば、神様がなぜ創造されたのかという問題に入っていきます。なぜ創造されたのですか。何を中心として創造されましたか。今日、そのようなことを考える人はいません。これは、世界の図書館に行ってみても、文先生が最初に提唱したことです。それが貴いものです。知ってみると、それがすべての結末です。なぜ創造されたのでしょうか。愛によってされたのだということを何で証明するのかといえば、生殖器を中心と

して男性と女性が一つになることです。それは、神様の理想的な愛の根源になっています」(1989. 10. 15)

37. 「神様が何を標準として人を造られたのか、男性は何を標準として造られたのかという時、『男性の顔を中心として造り始めた』と言われれば、理にかなった話ですか。女性を造るのに、『女性はこうあるべきなので、女性の顔を見て造った。ひげが生えず、このようにすべすべしていて、身長が小さく、そのように造った』と言われるとき、そうなのでしょうか。違います。生殖器を中心として造られたということを知らなければなりません。男性がそのようになっているのは、生殖器に似てそのようになったのです。女性がそのようになったのは、生殖器に似てそのようになったのです。このような言葉は文総裁から始まるのです。誰もそのような話をしませんでした」。(1989. 10. 3)

38. 「その生殖器は、何のために生まれたのですか。金なにがしのために生まれたのではありません。天地の大道のために、天地の大摂理的経綸のために私に下さったのです。今までサタンのために生殖器官の主人が誰かを知らず、どのような由来で創造されたのかということを知らなかったのですが、それを明らかにするために、天地の邪悪でよこしまなサタンの乱闘場をすべて掃除するために、私が旗を掲げて立ち上がったのです」。(1989. 10. 3)

39. 「男性と女性の血と肉は、どこで和動するのでしょうか。これは夫婦関係において行われます。男性と女性が、このように目だけ見つめることによって血が交わるのではありません。夫婦生活、夫婦関係で交わるのです。夫婦関係をする所が生命の源泉地です。男性と女性の生命の血が他の所で交わるのではありません。ただ一ヵ所しかなく、夫婦が愛する関係において交わるというのです。次に、血統が連結されるのもその場です。生命の結合、生命の癒着もそこであり、血統の起源もそこであり、愛の結着もそこで行われます。愛が一つになる、その点しかありません」(1994. 3. 13)

40. 「もし、男性が男性のものを自分のものとしてもっていたなら、絶対にそこから移動しようとしないでしょう。女性が女性のものをもっていたなら、そのまま張り合って千年、万年持ちこたえることができるかもしれませんが、そうすることはできません。相対が自分の側に来るようにしたり、自分が相対の側に行ったりしながら、互いに入れ替わつて一つになるのです。愛は、このように作用するのですが、授受する作用は、必ず互いに入れ替わりながら価値が現れるようになっているのです。女性と男性を見るとき、女性がもっている愛の器官は女性のものでしょうか。女性の愛の器官の主人は男性であり、男性の愛の器官の主人は女性です。これを今まで知らなかったので、よこしまな世の中になりました。これは絶対的です。絶対的な愛の主人が互いに取り替えられてもっているので偉大なのです」。(1986. 2. 12)

41. 「神様は愛のパートナーを願われるので、夫と妻が生殖器を通して一つになるその場を中心として顕現なさり、人間と出会うのです。なぜその場が神様を中心として一つになる場なのでしょうか。愛は絶対的であり、男性と女性が絶対的に一つになることを願う所が正にその場だからです。横的に見れば、陽性である男性がその中心に向かって近づき、陰性である女性がまた近づき、神様も男性の性稟である陽性と女性の性稟である陰性が合わさり、大きな陽性の立場で大きな陰性と合わさって一つになるのです」(1996. 9. 15)

42. 「神様が最高に探し求めていた真の愛の起源地であり定着地は、男性と女性の生殖器です。そこから男女の生命が結合するのです。そこから血筋が受け継がれ、歴史性をもった人類というものは、すべての血族が関係をもっているのです。それゆえに、最も貴いのです」(1991. 1. 8)

真のお父様のみ言に対する感想

なぜ神様は生殖器を創られたのでしょうか?この質問は、サタンによって何千年も隠されてきた真実を明らかにするため、真のお父様の努力の中核となっていました。生殖器は、男性と女性の生命の血が混じり合い、その血統が結ばれる唯一の場所です。この神様と人間の融合･交わりが起こる場所が、愛と生命と血統の繁栄の場となるのです。神様は、男性と女性の生殖器をもとにすべてのものを創造されました。したがって、ここは神様が夫と妻に完全に喜びでもって出会うことができる場なのです。男性と女性が生殖器を通して一つになることで至高の喜びを感じるということは、生殖器が神様の愛のために与えられたことを表しています。

現実化する

幼い子どもたちは、性や性器の機能を完全には理解していません。彼らが知っているのは、ここからおしっこが出るということだけです。想像力豊かな少年たちは、別の用途を考えるかもしれません、「これは賢いアイデアだ。神様は僕にホースをくれたから、僕は火事を消すことができるんだ！」と別の使い方を考えるかもしれません。必然的に、ほとんどの子どもたちは、自分の性器のことや赤ちゃんはどこから来るのかについて質問し始めます。性への好奇心は自然なことですが、多くの親が子供にそのことを自由に心を開いて話すのは難しいと感じています。

性に関する疑問が解消されないまま、若者たちは途方に暮れ、自分で解決しなければならなくなり、しばしばインターネットで情報を得るようになりました。生殖器の目的に関する誤解が混乱を招いています。神様が意図した方法で性行為を行うのではなく、人々はしばしば自己中心的な快楽のためだけにセックスを利用しています。セックスは、売買できる商品になっています。神様がなぜ性を創造したのか、その理由を誰も十分に説明できなかったため、性はその貴重な価値を失ってしまったのです。

宗教は私たちに性についての答えを与えるべきですが、イエス様でさえそれについて語られませんでした。教会は、結婚の神聖さについての道徳的指針を与えてくれますが、性の話題に関してはほとんど沈黙しています。歴史的に見ても、宗教はセックスという行為を聖なる生活の妨げになると考えており、それが修道士や司祭、修道女の独身主義につながっています。

真のお父様は、愛と生命と血統のすべてが生殖器につながっていると説明しています。夫婦間の性に関する神様のデザインを理解することによってのみ、私たちはすべての混乱を解消し、この貴重な贈り物をどのように使うべきかを理解することができます。神様が生殖器を創造された目的は、夫婦が身体的にも感情的にも、そして性的にも深く親密になるためでした。

神々は気が狂ったようだ

何かの目的が誤解されると、その結果として混乱が生じ、誤用や違う結果につながることがあります。次の物語は、そのことによって様々な問題が発生したことをユーモアに表現したものです。

映画「The Gods Must Be Crazy（神々は気が狂ったようだ)」では、カラハリ砂漠の上空を飛行中のパイロットがガラス製のコーラ瓶を落とし、それを砂漠の外の世界とは無縁のブッシュマン族が発見します。空から落ちてきたので、部族はこの物体を神々からの贈り物として歓迎します。見た目にも美しく、役に立つかもしれないと思いました。部族の人たちはその瓶に興味を持ち、本来の目的を知らずに様々な使い方をします。その瓶は、他のどんなものよりも硬く、滑らかでした。その瓶が蛇の皮をのばすのに適していること、穀物を搗くのに優れていること、そして音を奏でることができることを発見したのです。

最初は、部族の人たちが交代で様々な方法で使用しました。普段は平和で連帯意識の強いブッシュマンですが、コーラ瓶によって欲や羨望、利己心を刺激し始め、所有権をめぐる議論が起こります。その瓶は一体誰のものなのか?　どのように使うのが一番良いのか?最終的には、コーラ瓶は深刻にトラブルを引き起こすので、これを送った神々は気が狂っているに違いないと結論づけました。長老たちは、かつての平和な共同体を混乱させているこの「邪悪なもの」を排除しなければならないと決め地に埋めました。しかし、イボイノシシがそれを掘り起こし、ある子供がそれを見つけて、瓶を宿に持ち帰りました。神様に返そうと空に向かって瓶を投げましたが、これも失敗に終わります。ブッシュマンが瓶で頭を殴られたことで、彼らは諦めてしまいます。最後に、部族の長老たちは、瓶を「世界の果て」に持って行き、崖から落とす必要があるという判断を下します。

The Gods Must Be Crazy　神々は気が狂ったようだ」から得られる教訓とは何でしょうか？この軽快な物語は、誤解と誤用によってより深刻な問題が起こるということを例示しています。人類は、生殖器を創造した神様の目的を知らないことで苦しんできました。生殖器の目的を理解することで、私たちは誠実に生き、神様の神聖な息子や娘として神様の前に立つことができます。

考察点·アクティビティ

- ブッシュマンはコーラ瓶のユニークな使い方を発見し、その結果、面白くそして危険な結果をもたらしました。似たような出来事があなたにも起こったことはありましたか?
- あなたの友達は生殖器の目的は何であると言うと思いますか?
- ジェイミー·ユイスの映画「The Gods Must Be Crazy 神々は気が狂ったようだ」を観てみましょう。

愛の化学

化学と愛の関係とは何でしょうか？私たちの多くは、化学における魔法に興味を持っています。気体である水素2分子と酸素1分子が、まったく別の物質である水を作ることができると知ったとき、驚いたことを覚えていますか？真のお父様は、神様という方が最高の化学者であり、私たちの体の全細胞を通して天地の最大の愛を経験できるように創造なさったと描いています。私たちは、夫妻間の永遠の一夫一婦制の愛を支持するために、強力な化学と、神経の側面を持っています。科学者たちは現在、カップルが性行為をする際に起こる性的快感の周期が最も絆を深める生物学的報酬であると呼んでいます。全身の感覚がホルモンと連動して、魅力と快感を生み出す強力な力となるのです。

真のお父様のみ言

43. 「男性と女性はなぜ愛を好むのでしょうか。人間の体は大体百兆個にもなる細胞で構成されていますが、その細胞全体がいつ作動するのかといえば、愛する時なのです。人体のすべての細胞を動かすことのできる時が、正に男女が愛し合う時なのです」(1982. 4. 26)

44. 「男女が互いに愛し合う時、「ああ、電気が通じる」と言います。その時、生じる電気は天使長から始まるもので、単細胞的なものです。本然の世界で生じる愛の電気は宇宙的な愛の稲妻で、強度において数千倍を越えるだけでなく、人体の各器官の細胞が動く音も雷の音と同じです。本然の世界において真の愛で愛し合う男女は、愛の稲妻が出会う接触点に向かって総力を結集しなければ神様と出会えない、というのが愛の原理観です」 (1997)

45. 「男性と女性が抱擁しキスする場面は、平面的な極から愛を求めていく衝突の光が出る場面です。そこに白い光が出れば、色を加えて五色燦然と輝く光をつくらなければなりません。その光が縦的な神様の愛によって混ざるとき、虹の光のような、理想的な燦然とした光明の世界に転換されます。人間の愛の光は、横的な光で、単純な光です。本然の人間は、混合した光、つまり男性と女性が愛で結合した、完全な光を願うのです。そのときに、縦的な愛が降りてくるのです。虹のように、天の愛がこの横的な愛に降りてきます」(1985. 4. 7)

46. 「男性と女性がいたとするならば、そこに結合が必要なのです。なぜでしょうか？男性と女性の両方が興奮状態になり、プラスとマイナスの電気が火花を生むように、男性と女性が完全に充電されると火花を生むからです。それが合性体です。男性と女性の間の火花は、電気よりも強く、分離できないほど強くなければなりません」(1999. 12. 26)

47. 「理想的な夫婦は、ベッドに入ることを考える必要はないのです。なぜなら、神様自らが彼らの愛の営みのために完璧なクッションを作るためにそこにいるからです。神様が二人の愛に参加することで、二人は最も調和のとれた一体感を味わうことができます。神様が中核となり、その周りに男性と女性がいて、三人が一つになるのです。この時、ぶつかり合うスピードが速ければ速いほど、激しければ激しいほど良いのです。あまりの速さと衝撃に、緩衝材である神様は痛みを感じるでしょうが、神様は気にされません。二人の愛の中に参加したいのです。男性と女性が愛の力で結ばれた後、何が起こるのでしょうか？物理の法則により、そのエネルギーは拡散してゆっくりとした状態に戻ります。そして、次に愛を交わすときには、二人の間の力はもう少し大きくなっているはずです。愛し合うことを繰り返すたびに、二人の間のエネルギーはどんどん広がっていきます。最終的には、個人、家庭、国家、そして地球全体、すべてのものが二人の愛を感じるようになります。男性と女性がこのような形で、このような力と大きさで愛し合うとき、父母の普遍的な愛の結果として、宇宙を抱くことのできる息子と娘が生まれてくるのです」(1984. 1. 8)

48. 「男性、女性の愛の器官の細胞が最も精密です。心と体が一つになり、すべての愛の道が通じるその細胞の感情、その世界に元素としてどのように入っていくのかということが、万物、被造世界の目的だというのです。では、男性と女性が統一されるところとはどこですか。生殖器です。そこでは、直接男性と女性が一つになり、神様と一つになることができるところです。堕落したために、それが最も悪いものになりましたが、本来は限りなく神聖なものです。男性と女性がその門を開けた時、世界が開き、門が閉まれば世界が閉められて、それが幸福な時、世界が幸福であり全宇宙が幸福なのです。」(1993.6.20)

49. 「プラスとマイナスが一つになれば光を発します。新しい力、エネルギーが発生します。これが天地の道理です。磁石を見ればプラスもあり、マイナスもあります。自分の体と心が完全に一つになれば、完全な磁石のようになります。磁石のようになった男性の体と女性の体は、プラス的磁石のようになることもでき、マイナス的磁石のようになることもできます。そのため、男性と女性が自動的に一つになるのです」(1976.2.1)

真のお父様のみ言に対する感想

生殖器は、男性と女性が一つになり、神様と一体となる場です。真のお父様は、愛のエネルギーを説明するために、多くのカラフルな比喩を使われます。神様は、夫婦が最高の調和と喜びを経験できるように、それぞれの夫婦の性愛に参加されます。二人は切っても切れない関係になるのです。二人の体のすべての細胞が一つになって動きます。この愛と幸福の波紋は、やがて津波となって家庭を、国を、そして世界を包み込んでいきます。

現実化する

神様は私たちを愛のために創造し、性に興味を持つように脳を配線しました。オーガズムの際には、抱擁のホルモンと呼ばれるドーパミンやオキシトシンといった強力な化学物質が放出され、興奮、つながり、喜びといった感情が生まれます。性行為による幸福感は非常に強烈で、初めての性体験の詳細を体が覚えているほどです。性行為が繰り返されると、脳に深い神経経路が刻まれ、性的なテンプレートが作られていきます。最終的には、性的反応が第二の性質となります。私たちがセックスから連想する人、映像、音、匂いなどは、私たちの性欲を刺激するきっかけとなり、一度刺激されると無視できなくなります。科学者たちは、これを　「性的快感のサイクル」と呼んでいます。

これらのダイナミックな化学的･神経的プロセスは、天の接着剤として機能し、夫と妻を排他的な愛のつながりの中に引き寄せます。神様は、夫と妻が意識せず自然に惹かれ合うように、私たちをデザインしました。神様の計画は、私たちが配偶者を見るたびに電気のような衝撃を受け、それが私たちの血管を流れる愛の化学反応を目覚めさせる唯一の誘因となるようにすることでした。

イワトビペンギン

真の父母様は、自然から愛について学んだことをよく述べています。ここでは、イワトビペンギンの愛の化学についての話を紹介します。

フォークランド諸島の岩場で、赤い羽と黄色い一本眉のトゲトゲした毛の1羽のメスのペンギンが陸に上がります。彼女は、新しく到着して繁殖の準備をし、相手を探しているイワトビペンギンの数千羽のうちの一羽です。オスたちは高い草の間に集まっており、再会後すぐに巣が作られるようになります。このメスのペンギンは何年か前に伴侶を決めていましたが、今は海のように広がる白と黒の体と、羽毛の生えた頭の中から、真実の愛の相対ペンギンを探さなければなりません。果たしてメスのペンギンはそのオスのペンギンを見つけることができるのでしょうか？

さらに、彼女は約半年間、数百キロ、時には数千キロも離れた場所で伴侶と別れています。そっくりさんがたくさんいる中で、どうやってお互いを認識するのでしょうか。突然、大きな鳴き声が聞こえてきますが、それはペンギン以外の誰が聞いても同じように聞こえるものです。遠距離恋愛をしていた二人は、それぞれの鳴き声を聞き分けて、お互いを見つけ出します。再会した2羽の次の仕事は、前年まで使っていた巣を探し出し、交尾をして、1～2羽のヒナを産むことです。

これは、神様の魔法のような化学反応の動物界での例です。イワトビペンギンは一夫一婦制になっていますが、彼らは伴侶のことを驚くほど記憶し、魅力的に感じています。神様は、ご自身の子女たちへの愛の化学反応にどれほど多くの投資をされたでしょうか。

一夫一婦制の良さ

真の父母様は、神様は祝福結婚を受けた後、一人の男性と一人の女性の間でのみ経験するように性愛を創造されたと教えています。私たちは、想像上のパートナーも含めて、結婚以外に性関係を持つようにはデザインされていません。ポルノが脳に与える影響についての科学的研究は、ポルノが不健康で習慣的な行為であることを証明しています。ポルノは、脳内の化学物質を不自然に急増させる超刺激として作用するため、容易に依存症になってしまいます。このレベルの刺激は、現実の人間関係の中で経験できるものよりも数倍大きいのです。ポルノを見れば見るほど、同じ高揚感を得るために必要な量が増え、現実の人間とのセックスでは満足できなくなります。これは、配偶者に惹かれるために神様が作られた快楽報酬サイクルを乗っ取ってしまうことになります。

　一般的に言われていることとは逆に、既婚者の方が独身者よりも満足度の高い性生活”を送っているそうです。ホフポストに掲載されたリンダとチャーリー・ブルームの記事では、インディアナ大学の性健康促進センターが2010年に発表した、このテーマに関する最も包括的な研究の1つの結果を取り上げています。この研究で、研究者たちは、独身者よりも既婚者の方が性行為の回数が多いことを発見しました。つまり、独身生活が誤って美化されている一方、結婚しているカップルはベッドルームで楽しんでいるということです。この記事は、結婚生活における忠実な性行為をすすめ続けています。良好な性生活が感情的な親密さにおいて安心感や満足感を得られることに関係していかに幸福と生活の質を促進するのに役立つかを示す研究を引用しました。(注[7])

　結婚した夫婦は、より多くの性行為をしているだけでなく、その結果、より健康になっているのです。マイケル・ローゼン医学博士

---

7. (注) Linda Bloom and Charlie Bloom, “Want More and Better Sex? Get Married and Stay Married,” HuffPost, July 13, 2017 (リンダ・ブルーム、チャーリー・ブルーム, 『もっと、いいセックスがしたい？結婚して結婚し続けよう』, ハフポスト, 2017年7月13日), https://www.huffpost.com/entry/want-moreand-better-sex-get-married-and-stay-married_b_5967b618e4b022bb9372aff2.

は、シカゴ大学の老年学者です。ベストセラーとなった著書『Real-Age: Are You as Young as You Can Be? 本当の年齢：あなたは可能なほど若いですか？(1999年) の中で、週に二回セックスをする夫婦は、生物学的には年齢よりも二歳若いと主張しています。それは、性行為をすることで、心臓、呼吸、筋力、その他の器官の効率に良い影響を与えるからです。若さの源泉とはまさにこのことです。

研究者たちが愛の化学的性質を探求した結果、性的な愛の驚くべき力と、その否定できない効果が明らかになりました。科学は、神様の計画は一人の女性と一人の男性が永遠に一緒にいることであったと支持する理由をさらに示しています。神様は、私たちをサポートするために大量の性ホルモンを備えました。性行為の際に生じる化学的結合は、深いつながりを感じさせる一種の強力接着剤のようなものです。これにより、永遠に続く感情的な思い出を作ることができるのです。

考察点·アクティビティ

- 既婚者の方は、配偶者の身体的、感情的、精神的のどこに惹かれるかを分かち合って話してください。独身者の方は、将来の配偶者にどのような要素を望むかを話してみましょう。
- 愛の化学的性質を知った上で、愛と性行為に関してどのような注意を払えばよいでしょうか？
- 配偶者や家族から愛されていると感じさせるのは何ですか？身体の触れあい、肯定的な言葉、質のある時間、あるいは他のものでしょうか？
- ゲイリー·チャップマンの「ファイブ·ラブランゲージ （五つの愛の言葉）」を読み、自分と配偶者の愛の表現を確認してみましょう。

初愛の化学

ロミオとジュリエットは、二人の若い運命で結ばれた恋人たちを描いた作品です。二人はお互いに夢中になり、他のことを考えることができなくなります。あまりにも熱烈な恋心のため、二人は別れを惜しんで死を選択します。なぜ彼らはこれほど急激に激しい感情を抱くことができたのでしょうか？初愛がこれほどまでに強力で魅惑的なものである理由は何でしょうか？

真のお父様のみ言

50.　「真の愛の最初の火花はとても重要で、誤用してはいけません。その強烈な最初の火花が一度誤用されると、その過ちを完全に解くことは出来ないのです。各々が宇宙と神様のために火花を散らす時まで、自分の純粋な初愛を守る義務があります。そのためには、動物のような態度で愛に対して無責任ではいけないのです。愛は高貴で神聖なものなのです。下品で汚いものではありません。しかし愛の神聖さは不純な愛に汚されることがあります」（1983. 1. 30）

51.　「初愛は非常に大切です。初愛は、100%の金線がつながっているようなものなので、細心の注意を払って使用しなければなりません。人の初愛というのは、100%のコンダクタンスで、相手が黒くても白くても黄色くても、ひとたび接触すれば大きな力の火花が散るのです。そのため、初愛は慎重に経験する必要があります。正しく高貴な方法による強烈な初愛は、一つとなって美しくて力強い火花を生み出します。その愛に神様の愛が火花を散らし、天国で最高の火花になります。その火花の衝撃は、あなたを地面に張り付いてしまうほど強いものです。それでも、地面に叩きつけられても喜びを

感じるのは、愛のインパクトがあるからです。初愛は慎重に経験しなければならないのです」（1983. 1. 30）

52. 「稲妻が発生すると雷が鳴り響きます。アダムとエバの愛がぶつかり合うとき、稲妻が走るだけでなく、雷が宇宙に鳴り響くでしょう。このような愛があれば、マスコミの否定的な記事も気にならないのではないでしょうか。迫害が愛の稲妻を乱すでしょうか。そうではありません。彼らの愛がすべてを貫いて、発火するのです。初愛は最も強烈なものであり、それがまさに真の愛です。初愛にはダイナマイトのような力があります」。(1979. 2. 4)

53. 「あなたの目が間違った方向に向かうことを伝えようとするかもしれませんが、目はよく知っています。あなたの五感は、何が正しいのかを知っているのです。愛の力、特に初愛の力が働いているときは、太陽の下では何者もそれを止めることはできません。本然の愛の公式は止めることができないのです」（1987. 8. 20）

54. 「男性と女性のその器官がどれほど貴いか分かりましたか。神様が降りてくるのです。神様の解放がここから始まり、神様の歌と踊りもその上から生まれるのです。それが愛の王宮、永遠な王宮と通じるのです。地上天国、天上天国の初愛の門がそこから始まるのです」(1994. 5. 15)

真のお父様のみ言に対する感想

真のお父様は、人間の初愛と最初の性体験は永遠のパートナーとのものであることを神様が意図したと教えています。それが人間の運命なのです。お互いに初愛を保った夫と妻の性的結合には、喜びの火花が飛び散ります。これこそが、幸せな結婚生活を送るための理想的な方法なのです。

真のお父様が初愛の重要性について注意されるのは、神様が初愛を適切な瞬間に解き放たれる非常に強力な力として作られたことを知っているからです。祝福結婚を受ける前の性的体験は、解決が難しい痛ましい結果をもたらす可能性があります。ですから、若い人たちは真剣に、祈りをもって取り組まなければなりません。真の父母様の心からの願いは、私たちが自分の心や他人の心を傷つけないようにすることです。真の父母様は、神様のご心情は私たちを抱き入れ、すべての過ちを許される偉大なものであるという素晴らしい真実を示してくださいました。神様は、私たち一人一人が永遠の配偶者との間に最高の愛の深さを経験することを願っているのです。

現実化する

初愛の化学の科学的根拠とは？

真の父母様は、神様の子供が精神的にも感情的にも、そして性的にも異性に惹かれるように創造されたと教えています。私たちが配偶者を深く愛するようになることは、神様の大きなデザインの一部でした。私たちには、この魅力的な力を強化する化学的なサポートメカニズムが備わっています。研究によると、性行為は脳とその神経回路に強い影響を与えます。テストステロンやエストロゲンなどの化学物質、神経伝達物質のドーパミン、「抱擁ホルモン」であるオキシトシンなどが協力して、性行為を強化する行動と報酬のサイクルを生み出します。

だからこそ、多くの人が初めて性的な刺激を受けた時のことを鮮明に思い出すことができるのです。神様は、私たちが初愛の人の印象を忘れることができないように創造されました。神様の意図は、私たちが永遠の配偶者にのみ性的興奮を覚えるようにすることでした。

印象付けの物語（フライ·アウェイ·ホーム）

母親の後ろにぴったりと並んで従順に歩くカモの列を見ると、とても可愛らしいです。興味深いのは、アヒルの子が孵化して母親がいなくなると、最初に見た人や動物に印象付けをしてしまうという事実です。1999年に公開された映画「フライ·アウェイ·ホーム」は、ビル·リッシュマンがガチョウを使って行った実験から着想を得ています。リッシュマンは、ガチョウに飛行機のエンジン音を刷り込ませて、飛行機の飛行経路に沿って一緒に飛ぶように訓練することに成功しました。

この映画では、10代の少女エイミーが、捨てられたガチョウの卵の巣を見つけ、自分の引き出しに隠しておきます。卵が孵化すると、子ガチョウたちはまずエイミーを見て、まるで母親のように彼女についていきます。少女は地元の野生動物保護官から、ガチョウが自分に印象付けをしたことを知ります。子ガチョウは親ガチョウに全面的に依存しており、親ガチョウから渡りのルートなど生存に必要なすべてのことを教わります。野生動物保護官は、ペットとして飼う場合に必要な羽の切断をエイミーに勧めます。それを拒んだエイミーと父親は、超軽量の飛行機を使ってガチョウが飛べるように訓練します。しかし、ガチョウが飛ぶにはエイミーが操縦しなければなりません。そこで彼女は飛行を学び、ガチョウたちは家から何マイルも離れたバードサンクチュアリ、新しい渡り鳥の家まで彼女に従っていくのでした。

人間の場合、真の父母様は、祝福された夫婦としての最初の愛の営みの中で、お互いに「印象付け」をするように神様が男女を創造したと教えています。この独特で酔ったような激しい経験は、決して忘れられない美しい思い出となります。二人が共有する親密さは、二人が愛を深め、共に人生の課題に立ち向かう際の永遠の力の源となるでしょう。

一つの愛と多くの愛

カジュアル·セックスは、特に若い人たちの間で「化学混乱」を多発させています。人の体と心が多くの人と密着すると、結合ホルモンが乱れてしまいます。カジュアル·セックスでは、思考、感情、心霊を含む身体が、意図しない方法で利用されます。性的な愛の使い方を誤ると、人は混乱し、神様の本来の幸せの計画を崩してしまうのです。

婚前交渉がもたらす心理的影響とは何でしょうか。発達心理学者であり、『セックス、　愛、そしてあなた』：“正しい決断を下す”の著者であるトーマス·リコナ氏は（2003年）の中で、カジュアル·セックスがいかに若者の感情の健全さに影響を与え、大人になってからも困難に陥るリスクがあるかを述べています。また、2007年に発行されたニュースレター『第4および第5のR:尊敬と責任』では、10代や20代の婚前交渉がもたらす心理的な影響について述べています。罪悪感、後悔、自尊心や自信の喪失、人格の崩壊、宣誓への恐れ、うつ病、自殺、人間関係の悪化、個人的な成長の阻害、結婚への悪影等です。(注[8]) 婚前交渉の危険というのは、望まない妊娠や病気よりもはるかに大きいことは明白です。

若者の間で 「ナンパ」文化の懸念が高まっています。2008年に出版されたジョー· エス· マキルハニー· ジュニア氏とフレダ· マッキシック· ブッシュ氏の共著『新しい科学から見るカジュアルセックスが私たちの子供たちに与えている影響』は、婚前交渉に関する研究データと著者自身の臨床経験をもとに書かれた強力な資料です。彼らの調査結果によると、婚前交渉を選択した若者は、一生続く心理的な悪影響を被ることになります。

マキルハニー氏とブッシュ氏は、早すぎる性行為による「神経化学的な痕跡」が、将来の人間関係において感情を十分に発揮する能力を妨げる可能性があることを強調しています。これは、感情が十分に発達しておらず、人間関係のスキルに欠けている未熟な人は、性的な準備ができていないからです。ドーパミンが出るだけでは人間関係の一部である成熟した感情的なつながりが得られないのです。その結果、将来的に健全な関係を築くことに悪影響を及ぼす化学的パターンが形成されてしまうのです。「何度交際しても結ばれないのは、何度も貼ったり剥がしたりして粘着力を失ったテープのようなものです」。(注[9])

著者は、カジュアル· セックスを初めて経験すると、性行為に関する誤った判断をしやすくなると説明しています。これは、性の自制を司る脳のシナプスが弱くなるためです。自分の行動の結果を判断する能力が低下し、セックスに「イエス」と言いやすくなってしまうのです。これは自己破壊的なサイクルとなり、結婚してからも続きます。

さらに、ドーパミンが出ることで性欲が増すため、不健康な渇望感が生じます。このように、最初にカジュアル· セックスをした人は、次の機会にすぐに性行為に飛びつく可能性が高いのです。この

---

8. (注) Thomas Lickona, “Ten Emotional Dangers of Premature Sexual Involvement,” (トマス・リコーナ,『早すぎる性的関与がもたらす10の精神的危険性』), Center for the 4th and 5th Rs, 社,2007, https://www2.cortland.edu/centers/character/ images/sex_character/2007-Fall-red.pdf.

9. (注) Joe S. McIlhaney and Freda McKissic Bush, Hooked: New Science on How Casual Sex is Affecting Our Children (ジョー・S・マキルヘイニー,フレダ・マッキシック・ブッシュ『Hooked: カジュアルなセックスが子供たちに与える影響に関する新しい科学 』。(Chicago: Northfield Publishing, 2008), 43

ようにして、セックスはもはや大したことではなくなります。

科学と真のお父様は、初愛の化学反応が、素晴らしい有益性と破壊性を持つ一連の強力な生物学的および感情的な力を放出することに同意していることは明らかです。　これらの化学的な力は神様を中心とした献身的結婚生活を送っているときには、絆を深めるものとして有利に働きます。誓約がない場合には、これらの同じ力が、結婚生活で健全な親密さを育む能力に大きなダメージを与えることになります。初めての性的体験は、人の覚醒テンプレートに非常に強い影響を与え、それは決して忘れられません。これが、初愛を生涯を共にする相手のために取っておくべき最も重要な理由かもしれません。

考察点·アクティビティ

- なぜ神様は、私たちの最初の性的経験の影響が深く長く続くようにデザインしたのだと思いますか？
- 祝福結婚を受ける準備が整う前の十代の若者たちに強力な性欲を与えた神様の目的は何だと思いますか？
- キャロル·バラード監督の「Fly Away Home（フライ·アウェイ·ホーム）」を観てみましょう。

初夜

赤ちゃんが最初の一歩を踏み出して転んでも、笑顔で立ち上がり大喜びします。数年後、その子はオリンピック選手となり、金メダリストとなり、世界最速のランナーとなりました。何事においても、自分の可能性を最大限に使い達成した喜びは、ごくささやかなところから始まり、長い時間をかけて得られるものです。

未来のスポーツ選手がレースに参加するために成長しなければならないように、若者は初愛を迎えるまで肉体的、心霊的、感情的に成長しなければなりません。さらに、新婚夫婦が最初の性行為をするときは、ぎこちないかもしれませんが、刺激的で楽しいものです。スポーツの世界では、練習の積み重ねが勝利の成果として現れますが、性行為についても同じことが言えます。

真のお父様のみ言

55. 「初恋で結ばれた縁が最高の縁です。人が何をいおうと最高です。このようなものは何億上げても買うことができないのです。このような世界を自分が永遠にもつことができるなら、どれほど素晴らしいことでしょうか」(1969. 5. 11)

56. 「夫婦の愛の場は、万宇宙の花です。自分の妻は、歴史博物館に展示されたすべての人々の総合体です。そこに、花として現れたのが妻です。神様が初夜の部屋に参席するというのです。歴史始まって以来、喜ばしい男女の愛の中に、神様がとどまって定住するのです。ですから、どれほど恐ろしい立場ですか。それを連結させて道をつなぐことができ、爆発することができる完全なマイナスになれなかったので、完全なマイナスをつくる役割を今、私がやっているというのです。ここから、天地に愛の光明な太陽が浮かび始めるのです。生

命の家庭、理想の家庭として、すべて一つにして、自分の妻の部屋を訪ねていかなければなりません」(1988. 7. 22)

57. 「女性が男性を訪ねていく時は、『神様よりもっと貴いものを訪ねていきます。一生を大切に装って貴く思い、何よりも貴いものをもってあなたを訪ねていきます。あなたを愛します』こうでなければなりません。そのように女性が男性を慕えば、生殖器が息をします」。(1990. 10. 3)

58. 「神様の絶対愛と人間の絶対愛が出会う点とはどこでしょうか。一点です。それはどこですか。結婚して初夜、生殖器が一つになる場です。そうです、神様に会うと考えてみましたか。どこで一つになるのかというのです」(1997. 4. 7)

59. 「いい加減に使えば大変なことになるのです....アダムとエバも同じです。それで初愛が貴いのです。初愛は神様が導きます」。(1976. 1. 25)

60. 「結婚初夜の愛というのは偉大なものです。初愛です。皆さんが女性として生まれて一生保護してきた自分の体、その一身を男性に捧げるのです。男性もそうです。自分一身を備えて純潔な体を女性に100パーセント捧げるのです。そのためのものが男性としての結婚前の生活です」。(1993. 10. 12)

61. 「神様から与えられた相対者との初愛を経験したら、初愛を維持し、他の人に伝えることがあなたの課題です。このような生き方が、地上での天国生活の基となるのです」(1983. 11. 20)

62. 「アダムとエバが愛の爆弾に気づいたならば、全宇宙が一つの美しい香りのする花園のようになっていたことでしょう。すべてものが彼らの愛と共鳴していると感じたでしょう。その衝撃的な感覚が神様に伝わると、神様も二人に引き寄せられ、万物が愛で活性化されたことでしょう。神様は、愛の爆弾の中でアダムとエバを結びつける仲人になるはずでした。続く愛の爆弾で、みな巻き込まれてしまいます。初愛を成就させるときに、異物がなく、男女が純粋であることが重要です」(1983. 6. 5)

63. 「この出会いの場で、あなたの心と体、そして400億個の細胞すべてが集中し、引き寄せられ、そこに注ぎ込まれます。それが初愛と呼ばれるものです。初愛に基づいて、あなたの400億個の細胞すべてが踊り始めます。愛によってそのレベルに到達すれば、400億個の細胞、血液、体が一つに調和していきます。これが完全一体です。夫の体は妻のものであり、妻の体は夫のものです。神様は、その絶対的な相対圏の場に来られて、一つになるのです。絶対的な男性と絶対的な女性が結合して絶対的な夫婦となり、さらに神様と結合して一つの体になります。神様と一つの体になった後は、その一つの体の場所に全てが永遠に帰属します。永遠にあなたのものです」。(1997. 5. 4)

64. 「結婚して男女が初めて愛する瞬間、関係する時間は、子女の愛の完成なのです。兄弟の心情の完成場、夫婦の心情の完成場、未来の父母の心情の完成の出発点です。それで、女性の生殖器というのは愛の本宮です。愛の根源です。そこから愛が始まるのです。空中から始まるのではありません」(1994. 3. 13)

65. 「結婚して初愛を交わす瞬間は、男性として完成する場です。すべての神様のプラス世界、すべての男性型、右弦型を代表するアンテナとして、すべての神様のマイナス世界、すべての女性型、左弦型を代表するアンテナとして君臨するのです。アンテナのてっぺんで陰電気と陽電気が出会う、正にその場と同じです。女性と男性が愛し合うその場は、男性完成と女性完成をする場なのです。天地の中心として地上に定着できる愛の王宮がそこから始まるのです。初めて愛の本源地が出発し、生命がそこから連結されるのです。血統がそこから連結されます。それと同時に、そこから国が生まれるようになります。地上天国、天上天国が、初愛の門を開くその場から、愛から始まるのです」(1994. 05. 15)

真のお父様のみ言に対する感想

真のお父様は、カップルの初夜について、「電撃的　」とか「愛の爆発　」の言葉を使って熱心に語られています。真のお父様は、初夜のために純潔を守ってきた男性と女性が、神様が完全に参加されるこの爆発を経験することができると説明されます。そしてこの時、夫の体は妻のものとなり、妻の体は夫のものとなります。

実際には、初夜はそれほど素晴らしいものではないかもしれません。それは、カップルの期待を裏切るものかもしれません。しかし、これはあくまでもプロセスの始まりであり、この素晴らしいパートナーシップがやがて愛の爆発のような体験へとつながっていくことを心に留めておく必要があります。祝福結婚を受けたカップルにとって、初夜の本当の尊さは、アダムとエバの初愛を何千年も待っていた神様に関係しています。初夜に喜びを爆発させるのは神様のみで、それが祝福家庭のカップルの初愛の本当の価値なのかもしれません。

結婚するまでの期間は、この最初の夜に向けてしっかりと準備をするための最高の機会です。感情に流されることなく、両親や祈りを通して神様の導きを求めることが大切です。時間をかけて結婚の絆が育まれ、二人の愛が一貫して育まれると、最終的に肉体的にも感情的にも性的にも電撃的な体験をすることになります。喜びを分かち合い、良い時も悪い時も互いに慰め合い、力を与え合うことで、夫婦としても神様との間にも一体感と信頼感が生まれます。彼らの愛に満ちた結婚生活の模範は、子供たちや周囲の人々を刺激します。それは、とても電撃的な考えではありませんか?

現実化する

私の初夜

これは、妻との初夜についての、ある人の体験談です。

「いたるところにセックスがあふれている世界で育った私は、祝福結婚を受けた後、愛の営みがどのようなものであるかについて、不健全な概念を持ってしまったように感じました。自分の純潔を妻に捧げるのをずっと待っていたので、性行為がどのようなものか、世間から見ただけで実際の経験はありませんでした。それは簡単なものだと思っていました。しかし、最初の経験は、セックスの現実が世間で見られるものとはあまりにも違うことを見つけました。私はいつも、初体験の直前には、興奮して自分を全くコントロールできなくなると思っていました。しかし、初体験の直前には、これまでの人生で最も緊張して、文字通り震えていました。実際に始まってみると、それは解消されましたが、実際の行為も予想していたものとは全く違っていました。思っていたような、うめき声や奇声が飛び交うような、狂ったような、激しい、快楽に満ちた、情熱的な体験ではありませんでした。むしろ、楽しくて、好奇心旺盛で、ちょっとねっとりして、たくさんの笑い声に包まれていました。セックスは人生の他のことと同じで、マスターするには時間と練習が必要であり、実際のものは私が期待しているものとは違うということがわかりました

私にとってセックスとは、身体的な快楽以上に、お互いに心を通わせ、信頼し合い、配偶者の必要性を理解して、彼女を幸せにするための行為だと感じています。妻が私よりも良い経験をしたときの方が、ずっと満足感があります、それは簡単なことではありません。それには多くの時間と努力が必要です。　セックスの現実が、私が期待していたものとどれほど違うかを説明するのは難しいのですが、テレビで見るような激しいものよりも、ずっと楽しくて刺激的だと言わざるを得ません。おそらく人によって違うと思いますが、最終的には、その性的関係に、愛し永遠を誓った人と飛び込み、すべてを探し求めることが最高に美しいことだと思います。それは二人だけの特別なことなのです。時間をかけてすばらしくする価値があります。」

初夜の計画

ほとんどの若いカップルは、初夜を迎える前に、何が起こるのか興味津々です。中には、ポルノを参考にする人もいるでしょう。興味を持つのは当たり前のことです。しかし、ポルノを見ることは、将来の配偶者との素晴らしい性生活の準備にはなりません。非現実的な期待を抱かせ、深刻な依存症になる可能性があります。

もし、愛の営みについてもっと知りたいのであれば、両親や結婚しているお兄さんやお姉さんと話をして、何を期待して、どのように準備をすればいいのかを教えてもらうといいでしょう。また、牧師が新婚夫婦向けの良い本を紹介してくれるかもしれません。夫婦で一緒にこの栄光なる新しい世界を探求する素晴らしい時間に期待しましょう。

初夜が衝撃的なものである必要はありません。このユニークな体験に備えて、心配せずにただ楽しみ、何年も後に思い出すことができる美しい思い出を作ってください。あなたの未熟さや過ちが、初

夜をさらに思い出深いものにしてくれるかもしれません。特に、その場で二人が笑っていたらなおさらです。カップルとして、あなたたちは学び、成長し、ますます親密になっていきます。練習を重ねて完成できます。

美しい家族の祝祭

家庭連合北米大陸の龍会長は、祝福結婚を受けた息子夫婦が結婚生活を出発する準備ができたときに与えられた指導について話されました。龍会長夫妻は、この特別な日のために祈り続けてこられました。家族全員が出席する中、自宅で美しい式を挙げられました。

まず、その若いカップルは、父と母に、そしてお互いに敬礼を捧げました。続いて龍会長が、「私の愛する息子と私の愛する嫁娘よ、どうぞ良くやるように、常に神様を最優先してください 」と言いました。

そして、龍会長夫妻は、二人の間に立った新婚カップルの頭に手を置き、龍会長が祝祷をささげました。

「天の父母様、今日、私の息子とその妻が家庭を出発します。天の父母様がこの日をどれほど待ち望んだことでしょう。私は堕落した血統からきましたが、あなたの恵みにより、私の子供は天から直接やってきました。あなたはどれだけこの日を待っていたことでしょう。今日は信じられない日です。天のお父様はどれほどの喜びを感じることでしょう！」

式の後、龍会長はこう叫びました。「あー！今日は二人にとっても、天の父母様にとっても素晴らしい日です。私たちは新しい伝統を作っています。」

続いて龍会長は、「家族全員でケーキを囲んで賑やかにお祝いし、新婚のお二人に花束を贈りました。息子のお義父さんが素敵なお祝いの言葉をくださり、私たち夫婦もお祝いの言葉を述べさせていただきました。」と語られました。

「新しいカップルの弟や妹たちは、いつか彼らのようになりたいという強い意志を持っています。二人目の子供が祝福結婚を受けた後、「お父さん、私たちも家庭を始める準備ができました。いつ祝祷をしてくれますか？」三人目の子も同じことを言ってきました。私は笑顔で「いいよ、待ちなさい、待ちなさい」と言いました。」

「初夜はとても貴重です。本当に、本当に貴重です。これは、祝福家庭の最も重要な伝統の一つであるべきだと思います。これこそが、家族が親孝行の伝統に根ざす方法なのです。」と　龍先生は言われます。

祝福家庭は、自分の子供達に龍会長の伝統を採用することを考えてみてはいかがでしょうか。これは、子供たちの将来の生活に天の父母様を招待する素晴らしい方法です。

考察点·アクティビティ

- 龍会長の家族の初夜の伝統は、一般のカップルの性的関係の始まり方とどう違うのでしょうか？
- あなたの子供の初夜にはどのような準備をしたいですか？独身の方は、配偶者との初夜に向けてどのような準備をしたいですか？
- もしあなたが独身なら、初夜にどんな期待をしていますか？既婚者の方は、初夜にどんな期待をしていましたか？

神様の結婚式

息子や娘の結婚式では、親は有頂天の気分になります。それはとても美しい光景です。彼らの喜びを目の当たりにしたり、体験したりすると、神様が子供たちの結婚に参加したいという神様の願いを垣間見ることができます。私たちは、天のお父様が祝福結婚したばかりの娘と踊っているときの目の輝きや、結婚式の日に祝福されたばかりの息子と踊っているときの天のお母様の楽しそうな笑い声を想像することができます。

真のお父様のみ言

66. 「アダムとエバの結婚式は、神様の結婚式だというのです。そうあるべきではないですか。愛の対象を自分より高く造ろうとされた神様が、どこに行ってお会いになるのでしょうか。どこに行って一つになられるのでしょうか。鼻で一つになるのでしょうか。どこでしょうか。問題が大きいというのです。ですから、女性がもっていて、男性たちがもっている生殖器というものは、神様が臨在できる本然の園です。神様の愛が初めてそこで完成するというのです。凹凸が一つになるその場で人間完成、すなわち女性完成、男性完成と神様完成が、愛を中心として展開するというのです」。(1994. 6. 19)

67. 「神様の結婚式が、アダムとエバの結婚式です。それゆえに、地上天国と天上天国が同時に生まれるのです。愛のすみかから出発するのです。男性と女性の生殖器を中心として、堕落しないで出会うその時間が、地上天国と天上天国出発の起源地です。三大王権を樹立すべき基地がそこです。その場でなければ、愛のすみかを成すことができません」(1994. 8. 16)

68.　「アダムとエバの結婚式とは何ですか。誰の結婚式なのですか。神様の結婚式です。もし、そのようにしていればどのようになりますか。そうなれば、どのような結果になったでしょうか。そのセクシュアル･オーガン（生殖器）が第一に何になるのかということです。神様の愛の王宮になるのです。愛の本宮になるのです。そうです、家庭は王宮だというのです。これが愛の本宮です。一般家庭は王宮であり、これは縦的な愛の本宮です。どれほど貴いところなのかというのです。」(1994. 11. 23)

69.　「神様と人間の愛が連結されるところを本郷の地にして帰ろうとするのです。そこがどこかといえば、男性と女性の生殖器です。神様の愛と人間の愛がどこで始まるのでしょうか。アダムとエバの生命と愛と良心と血統の根である神様は、間違いなく縦的な立場から横的な位置のアダムとエバ、彼らの性相と形状が一つになったその中にすっと入っていかれるのです。ですから、アダムとエバの結婚式は、神様の結婚式なのです。男性と女性がもっている生殖器は、神様を解放して神様を完成させる器官です。ですから、神様がお父様になるのです。縦的なお父様、横的なお父様は完成したアダムです」 (1994. 3. 16)

70.　「愛の概念から男性と女性が分かれました。見えない神様は、一致したところでは愛の刺激を感じられないので、分立させて刺激を感じようとしたのです。言い換えれば、無形の神様の実体の内容が、有形の実体の内容に展開したのです。無形の性相と形状の実体圏が有形の実体圏、性相体と形状体に展開しました。それが再び無形の実体になろうとすれば、一つにならなければなりません。神様が実体としていらっしゃるので、無形の性相と形状の愛で一つにならなければならないのです。人間も、男性と女性が一つになった実体対象になるとき、初めて神様の愛の相対になります」。(1994. 1. 30)

71.　「そこから私が生まれるのではないですか。男性と女性がそこから生まれるのであって、キスするところから生まれるのですか。そこから男性と女性の生殖器が絶対的に一つになることを願うでしょう？　夫婦間で絶対的に一つになってみたいですか、適当に一つになってみたいですか。その場は何かというと、女性が愛を受けるためには、夫だけではなく、霊的に神様に侍る位置に立たなければならないのです。見えるアダムの生殖器は、内的には見えない神様の生殖器だというのです。女性の生殖器も、見えない神様の生殖器であり、見える生殖器はエバの生殖器です。見えないものは縦的であり、見えるものは横的に一つになるのです。それで、縦的な父母、横的な父母が一つになるのです」(1997. 4. 7)

72. 「アダムとエバの結婚式の日が、その場を中心として神様の結婚式の日になるのです。一つの縦的な結婚式であり、一つの横的な結婚式になるというのです。すべて生殖器を中心として、男性と女性が絶対愛に着地すると同時に着地の中心に来るので、神様の愛を中心として一つになるのです。そのようになったならば、神様のように心を中心として統一がなされたはずです」。(1997. 4. 15)

73. 「アダムとエバの結婚式は、内的には神様の結婚式です。二重の結婚式の場だというのです。それを結束させるものが、男性と女性の生殖器です。それがなければ、自分の生命も生まれないというのです。それによって一族も、人類の歴史も続いてきたというのです。神様の理想世界も、その門を通過した子供たちが、愛された子供たちが連結させていくのです。そのようにして神様の国もつくられていくのです」。(1998. 2. 3)

74. 「アダムの結婚式は、神様の結婚式です。これが天の最大の秘密です。気がついてみると、統一教会の文教主が生殖器解剖学の代表者になりました。生殖器ですべて一つになるのです。それなくしては愛が分からないのです。それ以外には、男性の生命と女性の生命が結ばれる場所がありません」(1995. 11. 3)

75. 「壁すら寝ないであなたに会うのを楽しみにしています。『今夜は何時から私の主人である夫妻は神様が降りてきて参加する愛の祝祭を開くのだろうか』というのです」(2000. 9. 22)

真のお父様のみ言に対する感想

真のお父様は、神様の最大の秘密を発見されました。それは、アダムとエバの結婚式は、神様の結婚式であるということでした。アダムの男性格とエバの女性格は、どちらも神様から来たものです。アダムとエバが神様の許可を得るまで待って結婚し、生殖器を通じて一つになっていたら、神様の二つの部分も一つになっていたでしょう。アダムとエバが愛し合うことで、神様は完全になれたのです。それが神様の結婚式だったのです。このことは、私たちにとってどのような意味があるのでしょうか?

祝福結婚は人生の中心となるものです。なぜならば、私たちは配偶者を通して、新たに深い方法で神様を愛し、神様に仕えることができるからです。真のお父様は、夫と妻の生殖器はともに神様の生殖器であると教えておられます。したがって、夫婦は神様の代表としてお互いに愛し合うべきです。夫婦がお互いに愛し配慮し優しくしようと努力するとき、それが神様がそれぞれに与えようとされた愛の表現になるのです。

夫婦が愛の営みの中で神様の存在を意識すればするほど、神様の愛を経験することができます。祝福結婚は、夫と妻が神様と喜びを分かち合うことができる、このような切り離せない結びつきを作り出す可能性を秘めています。真のお父様は、これを縦と横の結合とおっしゃっています。真の男性と真の女性の結婚式は、神様の結婚式です。これは神様が宇宙を創造される前からの理想であり、祝福結婚は神様のすべての創造の集大成です。

現実化する

神様の宿る場所

「あなたがたは神の宮であって、神の御霊が自分のうちに宿っていることを知らないのか。」(コリント人への第一の手紙 3:16)

イエスは、ユダヤ人がエルサレムの神殿こそが最も神聖な場所だと信じていた時代に、新しい教えを携えて来られました。イエスは、この旧約聖書の信仰に代わって、神様の子女である私たちが神様の宮となることを宣言する新しい真理を述べられたのです。イエス様が明らかにすべきことはたくさんありましたが、十字架にかけられたことでそれが不可能になりました。

真の父母様は、神様が天国を個人としてではなく、夫婦として入る場所として創造されたこと、そして、完全な救いは祝福結婚によってのみ達成されることを明らかにされました。真の父母様の重要な使命は、天国の夫婦のライフスタイルの模範となることです。御父母様がこの地上で一緒に過ごされた時を振り返ってみると、美しく愛情深い夫婦が、毎日手をつなぎ、抱き合い、キスをし、歌い、踊り、一緒に祈り、神のみ旨をなされていました。真の父母様が公私ともに絶えず神様をご自身の結婚生活に招き入れていることは明らかでした。その例から私たちが学んだことは、天の父母様は祝福家庭の夫婦の心、思考、身体に常に完全に存在することを望んでいるということです。神様が最も完全にご自身を現すことができるのは、祝福家庭の夫婦が愛し合っている時です。ここでは、神、夫、妻の三者が、比例のない永遠の愛を経験することができるのです。

祝福家庭の夫婦は、配偶者の体は神様の体であり、自分の生殖器は神様の生殖器であるという感性を養うように勧められています。このような意識を持って夫と妻が愛を交わすとき、私たちは夫や妻だけでなく神様を愛し、敬い、結婚生活に神様を招き入れることになります。真のお父様は、神様が個人では決して経験できない方法で存在し、刺激を受けることを教えてくださいます。同様に、夫婦は一人では経験できないほど親密な方法で神様を知ることになります。この夫婦が最も深い愛を育む所が、神様が喜ぶ場であります。

神様は一人では愛を経験することができず、私たちも同様です。そこで、異性のパートナーと一緒に愛を体験したいという願いを込めて、私たちをデザインしたのです。すべての創造物は、祝福家庭のカップルが愛の営みをしているのを見てその美しさを楽しむのです。

「被造物は、実に、切なる思いで神の子たちの出現を待ち望んでいる。」(ローマ人への手紙 8:19)

神様とすべての被造物が、夫婦の愛を祝福することを切望しているというこの真理は、何と素晴らしく美しいことでしょう。北欧のある祝福家庭の夫婦が体験した、このことを楽しく説明しています。

「結婚して間もない頃、ラップランドの自然の中で愛の交わりをしていたのですが、ふと見上げると巨大なヘラジカが立っていました。私たちは凍りつきました。私は夫を見て、きっと私たちが終わるのを待っているんだわ　と言いました。そうして終えてみたら、ヘラジカは向きを変えて立ち去っていきました。」

逃亡した修道女と反逆した修道士の急進的な結婚

これは偉大な改革者、マルティン・ルター（1483ー1546）とカタリーナ・フォン・ボラ（1499ー1552）の結婚の実話です。結婚する前、二人は神様への奉仕に人生を捧げていました。マルティン・ルターは修道士でありましたが、独身の誓いを破って、修道女であるカタリーナ・フォン・ボラと結婚し、家庭を持ちました。

1517年、マルティン・ルターは、カトリック教会の不正な免罪符販売に対する抗議をまとめた「95か条の論題」を発表しました。（注[10]）　この有名な宗教家について多くの人が知らないのは、彼が素晴らしい結婚をしていたことです。1523年、マルティン・ルターは、ドイツのヴィッテンベルク近郊にあるローマ・カトリック修道院から臭い漬物樽で逃げ出したと噂されている12人の修道女の仲人を始めました。彼女たちは自分の意思に反してそこにいたので、逃げ出したというわけです。ルターは、一人のカタリーナ・フォン・ボラを除いて、すべての女性に夫を見つけ、最終的には彼自身が彼女と結婚しました。

この二人は最初から外的にひかれたのではありませんでした。彼は彼女の心霊的な献身に惹かれ、自分が選んだ妻として深く愛するようになっていったのです。マルティン・ルターは、性行為が単に子孫を残すためのものであるという考えに反対していました。彼は、キリスト教の結婚における性行為は神様を讃えるためのものであり、創造主が私たちの喜びのために意図した贈り物であるという斬新な考え（1500年代には斬新でした）を推進しました。この有名な改革者によれば、「結婚生活における最大の善、すなわちすべての苦しみと労働を価値あるものにするのは、神様が子供たちを与え、その子供たちが神様を崇拝し仕えるように育てることを命じたことである。」

なぜ、私たちは彼らの結婚生活についてこれほどまでに知ることができるのでしょうか？マルティン・ルターは、「結婚のエステート」という説教の中で、自分の結婚や家族について語っています。彼は近代的な家族観を持った夫であり父親でありました。彼とカタリーナの間には6人の子供がいたので、オムツを洗う回数が多かったのです。このことについて彼は、「神様は、その天使と被造物のす

10.（注）神様とのトラブルから逃れるために購入したもの

べてとともに微笑んでおられます。それは、その父親がおむつを洗っているからではなく、キリスト教の信仰に基づいてそうしているからです」とユーモラスなコメントをしました。

マルティンとカタリーナはともに信仰に熱心でありましたが、結婚して子供ができてからは、神様のみ旨を実現するために二人が協力し合うことで、個人では実現できない大きな成果を上げることができました。カタリーナはビジネスの才能があることを知り、彼女の努力によって家の財産を増やし、彼らの活動のための経済的基盤と場を提供したのでした。彼らの家には改革派の仲間たちが集まり、意見を交換したり、計画を立てたりして、宗教改革運動の中心地となっていきました。マルティンは、教育と必要な改革の推進に全力を注ぐことができ、カタリーナは家財の管理を行いました。また、カタリーナも議論に加わり、改革運動の進展に大きく貢献したと言われています。神様のエネルギーは、二人の結婚によって飛躍的に増大したのでした。

チームワークで夢を実現

一人の人間として神様を崇拝することは、深い充実感と高揚感をもたらします。マルティンとカタリーナは、共通の信仰と共通の情熱を持つ夫と妻が一緒になれば、個人でできることよりもずっと多くのことを成し遂げられることを説明しています。夫婦が協力して神様を喜ばせるとき、彼らはその関係の中で神様の存在を経験するのです。

暖かい砂浜で、海に沈む壮大な夕日を一人で眺めているところを想像してみてください。感動的で、平和で、穏やかな気持ちになります。しかし、オレンジやピンク、ブルーに輝く夕日を、愛する配偶者と一緒に、腕を組んで愛の言葉を囁きながら眺めるのは、もっと素敵だと思いませんか?

考察点·アクティビティ

- あなたが尊敬するカップルを挙げてください。彼らのどんなところに感銘を受けていますか?
- 結婚生活において、夫婦が価値観を共有し、共通の信仰を持つことは重要だと思いますか?なぜでしょうか、あるいはなぜそうしないのでしょうか？

- 神様はあなたのカップルや将来のカップルに計画を持っていると思いますか？もしそうなら、そのことについてもっとシェアしてください。

ガーディアンズ·オブ·ギャラクシー

アクション満載の宇宙アドベンチャー映画「ガーディアンズ· オブ· ギャラクシー」で、ピーター· クイルは、強力な悪党サノスが欲しがっている謎のオーブを盗み出し、賞金稼ぎ者に執拗に追われることになります。サノスはこのオーブを使って全宇宙の住民の半数を絶滅しようとしています。オーブの真の力とそれがもたらす脅威を知ったクイルは、銀河の運命を左右する最後の決死の戦いに向けて、仲間割れしたチームを結集するために最善を尽くさなければなりません。

わたしたちはこのような謎のオーブなるものを手に入れることはないかと思いますが真のお父様は私たちはこれと同様に強力な物を持っているといわれます。私たちの生殖器は宇宙の根本でありますから私たちがその純潔を守ったときには自分の結婚を救うだけではなくそれ以上のことをしているのです。

真のお父様のみ言

76. 「私たちが今まで、愛という言葉を卑しいものと考え、良くないものと考えてきたのは、堕落したからであって、事実は神聖な本宮なのです。本然の愛の立場は、神聖な宮殿であり、最高に貴い所です。その宮殿の門は、勝手に開くことができません。愛の王、愛の王妃になってこそ、その宮殿の門を開くようになっているのが人間本来の愛の伝統です。真の父母をもった王と王妃は、その宮殿の門を開くことができます。そのような宮殿、そのような本宮から神様の愛する息子、娘が誕生します」(1983. 10. 2)

77. 「男性と女性の貞節を守り抜くことは、宇宙を守り抜くことと同じです。なぜなら、男性と女性の愛の秩序が宇宙の基本だからです。生殖器は頭よりも重要です。頭の中に真の愛の起源を見出すことはできません。頭の中に真の生命の起源を見出すことはできません。頭の中に真の血統の起源を見出すことはできません。では、その起源はどこにあるのでしょうか？それは、生殖器の中にあります。それは最も真実ではありませんか？生殖器には、生命、愛、そして血統のすべてがあります。それは愛の本宮であります。そこには生命の根源があるのです。それは血統の場合も同じです。生殖器は人間の体だけでなく、人間の世界、人類の歴史の中で最も貴重な部分なのです」（1990. 6. 17）

78. 「生殖器は、愛の宮殿であり、永遠の命が生まれる宮殿であり、永遠に変わらない天の伝統を受け継ぐ未来の子孫と血統を受け継ぐ宮殿であります。真の生命、真の愛、真の血統の宮殿です。何よりも尊い場所なのです。それを使って好きなことをすることはできません。神様の許可なしに使うことはできません。神様と宇宙の承認を得た夫と妻以外には触れられない場所なのです」（1991. 3. 31）

79. 「生殖器を絶対的に貴く思う世界になれば、その世界はよい世界でしょうか、悪い世界でしょうか。栄える世界でしょうか、滅びる世界でしょうか。神様が人間を創造なさる時、最も大切に精誠を尽くして創造された箇所とはどこでしょうか。目でしょうか、鼻でしょうか、心臓でしょうか。でなければ頭脳でしょうか。これらはすべて、死んでなくなります。事実がそうではありませんか。」（1996. 9. 15）

80. 「生殖器 は愛の宮殿です。その愛の宮殿の現状はどうなっているのでしょうか？人間の生殖器は世界で最も貴重なものであり、愛の宮殿であり、生命の宮殿であり、血統の宮殿であります。世界で最も神聖なものなのです。しかし、堕落によって汚されてしまいました。神様の本来の観点では、性器は汚れたものではなく、神聖なものです。最も尊いものなのです。生命、愛、血統がつながっています。この神聖な器官がサタンによって汚されたのです」（1991. 7. 28）

81. 「 女性は、耳と口が王にならなければなりません。それは、聖人の「聖」なのです。誰かが「聖女になりたいか、悪女になりたいか」と尋ねれば、「聖女になりたい」と言うのがすべての女性の返事です。それが「聖」の字です。男女間の性欲の性ではありません。それも性の字ですが、この聖の字は耳と口が王だというのです。それを女性の生殖器だと考えればよいのです。事実です。これが王ではないですか。それを守れば聖人になるのです。いいことを学ぶでしょう？ そのようなことは辞典にも、どこにもありません。日本の教科書でも見たことがないでしょう？」。(1997. 4. 8)

82. 「最も良いものは何ですか，指が良いですか、頭が良いですか。何が良いのですか。男性にとって何が良いのですか。男性と女性において最も貴いものとは、どこですか。生殖器ではないですか。どれほど貴くて、サムサルバン（三つの災いが重なった不吉な方向）の侵犯を受けず、保護するようにきちんとつくっておいたのでしょうか。通るたびにこれに触れるようになれば大変なことになるので、さっと保護してあげるのです。男性と女性、みなそうです。私が神様でも、ほかには取り付けるところがありません。それをつくって組み立てる時、これをどこにもっていって取り付けたでしょうか。ここにつけますか。ここにしておいたら、男性と女性が二人で歩く時、どうなりますか」(1990. 2. 21)

真のお父様のみ言に対する感想

弱い立場の人々を守ること、子どもたちの安全を守ること、未来の世代のために地球を守ることなど、私たち全員が関心を持つ地球規模の問題がたくさんあります。真のお父様は、もう一つの責任として、私たちが純潔を守ることを強調されています。私たちの生殖器は、配偶者のためだけに保存する神聖な宝です。私たちが純潔を守ることで、神様を中心とした家庭、地域社会、国家、ひいては神様を中心とした世界の建設に貢献することができます。このようにして、私たちは宇宙の守護者となるのです。

現実化する

処女の聖人たち

聖アガタ、聖ルーシー、聖アグネス、聖マリア·ゴレッティは、処女性を保つために自らの命を犠牲にしたことから、カトリック教会では処女聖人と呼ばれています。彼女たちはいずれも、貞節を守っているにもかかわらず、男性から性的関係を強要されるという状況に直面しました。彼女たちは、生殖器が聖なるものであり、たとえ苦しみに耐えても悪用してはならないことを理解していました。彼女たちは、自分の信念に忠実であるために、恐ろしい拷問を受け、最終的には死に至りました。

聖女マリア·ゴレッティ（1890―1902）は、イタリアの農家に生まれました。彼女の家庭は貧しく、父親が妻と子供を残してマラリアで亡くなったことで、状況はさらに厳しくなっていました。マリアは兄弟の面倒を見ながら、畑仕事をして家計を支えていました。ある日、彼女は若い男性に声をかけられ、性的関係を強要されました。彼女は、「それは罪よ！神様はそんなことを望んでいないわ！」と叫んで彼に抗議しました。怒りに駆られた彼は、彼女を14回も刺しました。医師は彼女の命を救おうとしましたが、彼女の傷はあまりにもひどいものでした。病院で彼女と一緒にいた人たちは、彼女が死の間際にキリストの受難を瞑想し、主がすべての罪人を赦していることをはっきりと見ていたと観察しました。この世の最後の瞬間に、彼女は加害者を許すことができました。死の床で彼女は母親に言いました。「私も彼を赦します。いつか彼が天国に来て私と一緒になってくれることを願います」その翌日、彼女は静かに息を引き取りました。彼女はまだ12歳になっていませんでした。

物語はそれだけでは終わりません。聖マリア·ゴレッティを襲った犯人は、懲役30年の判決を受けました。彼は自分の行為を正当化するために、マリアが自分の身を守り、純潔を守ろうとしたことを非難し、怒り続けました。そんな時、彼は人生を変えるような夢を見ました。その夢の中で、マリアは輝いていました。彼女は野原で百合の花を摘んでいました。そして、マリアは彼に向かって14本の花を手渡しました。その花は、マリアが彼の短剣で受けた傷を表しており、その花を渡すことで、自分の命を奪った彼を許すというメッセージを受け取りました。そして、彼女が死の間際に言ったいつか天国で一緒になりたいという願いを聞きました。

この出来事が彼を変え、彼は彼女の母親に自分を許してくれるよう頼みました。彼は残りの人生を神に捧げ、カプチン会の修道院で自分の罪を懺悔しました。マリアの死因と夢についての彼の証言は、1950年にカトリック教会がマリアを聖人として列聖するのに必要な証拠となりました。

マリアはわずか12歳でありながら、自分の純潔を命がけで守る知恵と信仰と勇気を持っていました。彼女は神様のみ言葉は真剣に受けるべきであると信じそれに勇敢に従うことを躊躇しませんでした。

天国の最も神聖な場所

生命は尊く、守らなければなりません。純潔を失うくらいなら、死んだほうがましだと言っているのではありません。純潔の価値を理解することで得られる力を強調しているのです。今の世の中、ナイフや銃を持って襲ってくる人は少なくなり、お世辞や愛嬌を使ってくる人が多くなりました。そのような欺瞞に直面したとき、私たちは聖マリア·ゴレッティの例に学び、彼女の明晰さと信念を受け継ぎ将来の配偶者のために生殖器を守るのです。

なぜ、生殖器を守ることがそんなに重要なのでしょうか？真のお父様は、神様が生殖器を愛と生命と血統の源として、細心の注意と献身をもって作られたと教えておられます。アダムとエバはその性器を間違って使い、神様の心を傷つけ　神様の創造の理想を破壊しました。それ以来、神様は生殖器を本来の価値に戻すために、歴史の中でたゆまぬ努力を続けてきました。真のご父母様は、祝福を通して、最初の祖先の失敗を回復し、晴れやかな幸せな家庭と平和な世界を創造する手段を男女に与えてくださいました。

考察点·アクティビティ

- 何をもって性殖器が体の他の器官より特別になっているのでしょうか？
- なぜ純潔を守ることが大切なのでしょうか？
- もし誰もが神様のように純潔を大切にしていたら、世界はどのようになるでしょうか？

心と体の純潔

最高の愛とは何かを考えたことはありますか？私たちの人生における最大の願いは、完全に信頼できる人と深い考えや感情を共有することです。この願望を達成するためには、自分の純潔性を高め、守ることが基本となります。真のお父様は、自己中心的な欲望に基づく性的関係や習慣に注意するように言っています。真のお父様は、私たちが正直で誠実な生活を築き、心と体が高いビジョンを中心に一つとなれるように願っています。純潔な生活を送ることで、自分と他者を神様の子どもとして大切にするようになります。そうすれば、性愛という神様の偉大な贈り物を体験できる生涯の配偶者を迎える準備ができるのです。

真のお父様のみ言

83. 「『宇宙主管を願う前に自己主管を完成せよ！』というのが、先生が原理の道を開拓していたときの標語でした。『宇宙主管を願う前に、この世の万事と何らかの関係をもつ前に、自己主管を完成せよ』と言ったのです。主人になることができ、師になることができ、父母になることができる心...心は体のために生きたいと思いますが、体は心のために生きません。これが問題なのです」(1990.3.30)

84. 「宗教は、独身生活をしなさいと教えます。愛を防ぐ盾だというのです。肉身が怨讐なのですが、この怨讐には三大武器があります。第一に食べること、その次に眠ること、その次が情欲です。そこに先生もぶつかりました。先生がこれを超えるためにどれほど涙を多く流し、どれほど身もだえしたか、皆さんは知らないでしょう。これに勝つことのできる蕩

減条件を立てるためには、どんなことでもすべてしなければならないのです」(1977. 10. 9)

85. 「思春期の時、未婚の男性と女性が互いに出会って会話を交わすときは、胸がどきどきします。そして、興奮するようになれば、心臓に変化をもたらします。しかし、その心が神様を中心とせずに反対の立場に立てば、悪になります。心は神様を中心にしなければなりません。その神様を中心とした心と心情が一つになる立場に上げてくれるのが愛です。このような立場において一生涯を過ごすべき人間なので、人間は愛を中心とした理想と希望をもたなければならないというのです」(1969. 10. 25)

86. 「心と体が一つになって、その生殖器を中心として一つにならなければなりません。出発地は一点であるべきであって、二点になれば方向も二つになります。人間の愛と神様の愛が接触して定着することができる寄着地(経由地)はどこかといえば、内的夫と外的夫が愛によって結ばれる生殖器だというのです」(1994. 11. 20)

87. 「神様は愛で被造世界を創造されました。それゆえアダムとエバは、神様の愛を中心にして被造世界を愛の組織体としてつくり、神様に連結させなければなりませんでした。そのような任務をもったアダムとエバは、どんな姿勢をもって神様が許された愛を共有するようになるべきかを、考えていなければなりませんでした。この愛の問題は極めて重大なことで、彼らの生死を狙うものになりかねないのです」(1997)

88. 「ある地点まで行ってしまうと、それ以上行かないように自分を信じることができないのです。だから始めないでください。この件は非常に厳格です。私たちは皆、人間であり、愛がどれほど誘惑に満ちたものであるかを知っています。男性と女性が一緒にどこかに行くというのも、人間が強くないことを知り、自分を信じすぎてはいけません。私の摂理は、純潔の新しい血統を確立することです」(1965)

89. 「女性が道を歩いていて、ハンサムな男に出会うと、「また会いたい」と思ってしまいます。これが堕落の本質です。あなた方が神様の息子、娘であるならば、神様があなた方のために選んだ相対者以外の人に少しでも興味を示してはいけません。誰かを直接見ること自体は罪ではありませんが興味を持って見ると、堕落の強力な力が作用して、思わぬ事故につながることがあります。ですから、道を歩いていて、ハンサムな男性や美しい女性と対面しても、興味を持って見てはいけないのです。あなたのためにこのような心配や不安があるのです。神様もアダムとエバを愛するゆえに『取って食べてはならない』とおっしゃったのです」（1997）

90. 「心は永遠を伴い、体は一生を伴います。心は生涯を調整して現れ、体は生活を調整して現れます。...このような意味から見るとき、心が望む観念がより大きいというのです」（1970. 10. 4）

91. 「すべての宗教は、自らの体を打つ道を教えてきました。宗教は肉欲を制御し、体を心に屈服させる道場なのです。宗教は、人間を創造本然の人間へと引っ張っていく道場です。しかし、神様を自分の中に迎え入れなければ、自らの体を征服する者は誰もいません。ただ神様の真の愛と真理の力を中心として、主体の心は対象の体を従わせ、神様と一体理想を成し遂げるようになっているのです。これが、宗教の語る完成した人間です」（1991. 8. 27）

92. 「人生は純粋な存在から始まるのです。...思春期に春の香りを感じる若者の心も、純粋な存在から生まれるのです。体も心もすべて無垢で汚れのない状態で生まれてきます。しかし、自己中心的で放漫な考えを持っている人は、純粋でいられるでしょうか」（1997）

93. 「思春期に純粋さを汚してはいけません。青年期に純粋さを失ったアダムとエバの恨みを乗り越え、償うことができる貴重な時期です。尊く清い自分の純粋さを守るべきです。たとえ千年でも万年でも一人で生きていかなければならないとしても、誰にも私の愛を踏みにじらせはしないという誠実と決意を持たなければなりません」（1997）

真のご父母様のみ言に対する感想

真のお父様は、純潔とは性の誘惑に対して守るために心と体を鍛えて自分を主管することだと教えておられます。真のお父様はこの葛藤を知っておられ、心と体の統一に勝利するために精力的に闘われました。真のお父様は、親心をもって、私たちが誘惑されるような場面を避けるように警告し、信仰生活を通して心を強くするように勧めておられます。真のお父様は、性欲の力は、神様に会いたいという私たちの願いの力に等しいとおっしゃっています、だからこそ挑戦なのです。

私たちが純粋さを保つことができるのは、神様を見つめているときです。それはどういうことですか？良心の道に従い、他者のために生きることを学び、神様との関係を深めることです、結婚に必要な技術や経験を得ることができます。すべての愛の中心に神様がいて、私たちは将来の配偶者のために最高の人になろうと努力します。心と体が一体となって自分自身を支配することができたら、将来の配偶者と神様への贈り物として自分の性愛をささげることができます。私たちの生殖器は、神様の愛と人類の愛が一体となる場所です。

現実化する

宗教では、純潔の重要性が強調されています。聖書の中で、神様はアダムとエバに、善悪を知る木の実を食べてはいけない、触ってはいけないとおっしゃいましたが、真のお父様はその木の実が生殖器を象徴していると教えておられます。真のお父様は、私たちが異性に惹かれることを戒めておられますが、それは神様がそのように私たちを創られたのではないでしょうか。友達以上の関係になりたいという気持ちで相手に惹かれることはあっても、その気持ちをどうするかが重要なのです。この気持ちを持つこと自体は間違いではありません。その気持ちに気づき、その気持ちが過ぎ去るのを待って、相手との授受作用を終わらせるのが一番です。感情が惹かれすぎないように、他のことに気持を向ければいいのです。

多くの人が、性的に純粋であることは単に結婚前に性関係を持たないことだと思っています。しかし、それだけでいいのでしょうか？また、オーラルセックスやポルノなど、結婚していない状態での性的行動はどうでしょうか？これらは重要な質問です。

神様は、私たちがセックスの喜びを十分に味わえるように創造され、それ以外のものに妥協しないことを願っておられます。純潔とは、祝福結婚以外のすべての性的活動を控えることです。私たちが見たり、考えたり、感じたり、行ったりすることは、私たちの性の純潔に影響を与えます。挑発的なイメージや言葉は、私たちの思考や感情に影響を与え、後になって後悔するような行動につながる可能性があります。

正直なコミュニケーションによって、私たちは恩恵の体験をすることができます。人々、特に親子が、理想的な性関係について心を開いて会話し、正直に過ちを話し許し合うことで、信頼が深まります。これにより、希望を取り戻し、「祝福結婚」のための明確なビジョンを描くことができます。箴言29:18では、素晴らしい未来を計画するようにアドバイスされています。「ビジョンがなければ人はわがままにふるまうが、神の教えに従う人は祝福される。」（口語訳：預言がなければ民はわがままにふるまう、しかし律法を守る者はさいわいである。）”

クラブや若者のグループは、個人的な交際関係に陥ることなく、異性との交友関係を持てる健全な場ともなります。性的な関係になることなく、自分が好きで惹かれる性格などの特徴を知ることは重要なスキルです。スポーツや創造性を生かす趣味、スモールグループなどに参加することで、自分自身を投資し、その結果、エネルギーやインスピレーション、充実感を得ることができます。瞑想や祈り、経典を読むことで自分の心と向き合うことは、最良の決断を下し、人生のあらゆる可能性を生かすための指針となります。これは短距離競争ではなく、マラソンであることを忘れないでください。新しい習慣を身につけるには、根気と一貫性が必要です。

空手キッド

映画「空手キッド」を見たことがある人は多いでしょう。10代のダニエルは、コブラ会の道場のいじめっ子に殴られ、自分を守る方法を学びたいと思います。賢明なミスター･ミヤギは、ダニエルの先生となり、ダニエルが将来のビジョンを描くのを助けながら、次の空手大会に向けてトレーニングを行います。

ミスター･ミヤギがダニエルに車のワックスがけをさせることからトレーニングを始め、ダニエルが彼の指示に従って「ワックスをかける、ワックスを落とす」を何度も繰り返すのはとても面白いです。さらにミスター·ミヤギは、床磨きや塀のペンキ塗りなど、一見空手とは関係のない仕事をダニエルに与え、特定の動作を何千回も繰り返すというトレーニングを続けます。

空手キッドは、最初はこのことに戸惑っていましたが、最終的には、貴重な技術を学んでいるだけでなく、自己主管そして、努力することの価値を学んでいることに気づき、ミスターミヤギを信頼するようになります。絶え間ない練習によって、攻撃と防御の戦略が自然に、そして自動的にできるようになることを理解していきます。練習を重ねるうちに、彼は「自分は勝てる」という自信を持つようになり、成功へのビジョンがより確かなものになっていきます。

空手キッドの物語は、純潔な人生を送ることとどのように関連しているのでしょうか？純粋な思考、感情、行動で生きるためのチャレンジに備えるためには、まず、ダニエルが大会に勝つためのビジョンを持つようになったように、健全な性のビジョンを持つ必要があります。ダニエルが攻撃と防御の練習をしたように、私たちも純潔の生活を送るために、健康的な習慣を学び、身につけなければなりません。

純潔は卵ではない

純潔とは卵のようなもので、割れてしまうと永遠に壊れたままで元には戻らないという誤解があります。純潔に対するこのような見方は、多くの人を理想に到達することができないという絶望的な思いに陥れています。落胆と恥ずかしさのあまり、神様が人生に用意してくださった美しい祝福結婚から遠ざかってしまうのです。神様の心は寛容であり、純潔を回復する道を提供してくれます。過去にどんなことがあっても、私たちは皆、神様の愛を受ける価値があるのです。

私たちの純潔を庭のように考えてみるといいでしょう。植物を育てるためには、土壌を作り、水をやり、適切な栄養分を摂取できるように毎日手入れをします。もし植物が枯れてきたら、時間と力を投入して健康な状態に戻し、再び花を咲かせて本来の美しさを現せるようにします。壊れたものでも元に戻すことができます。

考察点·アクティビティ

- 自分の思考、感情、行動を純粋に保つための良い習慣を分かち合ってください。
- なぜ、性的な純潔は配偶者への贈り物と考えられるのでしょうか？どうして神様への贈り物となるのでしょうか？
- 「空手キッド」をみてください。ダニエルのトレーニングと、純潔な人生を送るためのあなた自身のトレーニングとの間に見られる類似点について話してください。

人はなぜ結婚するのか？

もし、十人の友人に「人はなぜ結婚すると思いますか」と尋ねたら、十通りの答えが返ってくるでしょう。ある人は、結婚は「愛と安全のため」と言うかもしれません。別の人は「より良い生活のため」と言い、「親を喜ばせるため」又は「孤独になりたくないから」と言う人もいるでしょう。離婚した人は、間違った理由で結婚したと言うことがよくあります。ジョン·F·ケネディ元大統領の妻、ジャッキー·ケネディは、「一回目は愛、二回目はお金、三回目は交遊の相手として結婚する」と言っています。このように様々な考え方がある中で、多くの若者が「なぜ結婚しなければならないのか」と考えています。

真のお父様のみ言

94.「神様は、愛の源泉であり、生命の源泉であり、血筋の源泉です。このように思うとき、男性の愛と女性の愛が合徳し、男性の生命と女性の生命が合徳し、男性の血と女性の血が合徳するところとはどこでしょうか。男性と女性の秘密の場所、生殖器です。それで、人間世界における大礼の中の大礼が結婚です」（1990. 12. 30）

95.「結婚によって、新しい未来が作られます。社会が形成され、国家が建設されます。神様の平和な世界は、結婚した家庭を中心として実現します。家庭の中にこそ、天国がやってくるのです。」（2010）

96.「結婚の最高の神性を私たちは謳わなければなりません。男女が愛することのできる道は結婚生活です。そのように一つになることによって誰に似るのでしょうか。神様に似るというのです。男女が一つになってこそ、人を御自分の形状どお

りに造られたと言われる神様に似るのです。そうしてこそ神様が臨在されるのです」(1974. 2. 8)

97. 「結婚はなぜするのですか。神様の姿に似るためです。神様は、二性性相でいらっしゃる方として各一性が合体化した一体的な存在であられ、その神様の分性的な人格自体が男性と女性なので、彼らが合性一体化して種のようになり、神様の本性の位置に帰らなければならないのです。結婚は、神様と一つになることができる位置に行くということです」。(1998. 2. 2)

98. 「結婚は、神様を愛するためにします。神様を愛して、神様の軸と一致するためです。一致すれば、絶対的な神様の永遠であられる愛を中心として、永生が展開するのです。それだけではありません。そのように接触したところから宇宙の相続権が伝授されるのです。愛を中心として造られた被造世界は、神様のものですが、「私」のものとして相続されるのです」(1985. 12. 20)

99. 「男性と女性の生殖器の主人とは誰ですか。縦的な神様です。どこで神様の理想的愛と人間の理想的愛が一つになりますか。生殖器です。神様に出会うために結婚するのです。驚くべき話です。神様がほかにいるのではありません。その場に入っていくようになれば、神様が生きていらっしゃいます。三大主体思想がどこで結合して根を打ち込むのですか。愛です。神様の愛と人間の愛が生殖器を中心として……。結婚は、神様の縦的な愛に接ぎ木をするためのものです」。(1990. 6. 26)

100. 「結婚する時間は、神様の愛を相続する時間です。そして、再創造の権限を相続します。神様がアダムとエバを造っておいて感じられたその喜びが、結婚を通して広がるのです。その次には、主管圏が広がります」(1975. 1. 26)

101. 「結婚とは何ですか。男性を通じて愛を結ぶことによって、半品存在である女性が完品存在になることです。男性も同じです。結婚を通じて完成するのです。何によってですか。愛で一つになることによってです。ですから、男性と女性の生殖器は絶対に必要なのです。ですから、男性の生殖器は女性

のためにできたのであり、女性の生殖器は男性のためにできたのです。自分のものではありません」(1994. 11. 20)

102. 「 結婚とは何でしょうか。なぜ結婚が重要なのですか。結婚は愛を求めていく道だからです。愛する道、生命を創造する道です。男性と女性の生命が一体になる道です。男性と女性の血統が混ざる所です。結婚を通して歴史が生じ、ここから国が生じ、理想世界が始まるのです。これがなければ個人の存在も意味がなく、国もなく、理想世界もありません。これが公式になっています。男性と女性は絶対的に一つにならなければならず、父母と子女たちは絶対的に神様と一つになり、神様を愛し、神様と共に生きてから、死んでそのまま霊界に行けば、そこが天国です」。(1996. 9. 15)

103. 「結婚の目的は、自己完成と宇宙の主管にあります。自己完成とともに宇宙を掌握し、未来の世界を包容するのです。自分を完成して神様を占領し、永遠に神様と共に創造理想を完成することに協助した相手として残ろうというのです。ですから、神様が善の息子、娘を創造されたので、善の息子、娘をたくさん生んで、育てなければなりません。子女を生もうとしないのは罪です」(1993. 4. 18)

104. 「結婚とは何かといえば、半分の男性と女性が生殖器を一つにすることによってお互いに完成するのです。男性は、女性の愛を中心として完成するのです。男性は女性を完成させ、女性は男性を完成させるのです。それは、真の愛を中心として完成させるのであり、真の生命の結合が展開するのです。真の愛で一つになるのです」(1997. 1. 1)

105. 「何のために結婚するのかと言えば、生殖器理想の完成のためです。結婚とは何かといえば、生殖器官の理想を満たすためのものが結婚だというのです。それは間違っていますか、合っていますか。俗的な結論のようですが、俗的な結論ではないというのです。俗的な人間の世の中で話すので俗的なのであって、神様の創造本然の世界では神聖なのです。神様が願われる至聖所はどこかというのです。愛が永遠に宿ることができるところが至聖所だというのです。そのとおりでしょう?」(1996. 7. 24)

真のお父様のみ言に対する感想

神様はアダムとエバの結婚にどのような希望を持たれたのでしょうか。真のお父様は、男性格と女性格の根源である神様が、ご自身を男性と女性に分けられたと説明されています。アダムとエバの結婚は、神様の結婚でもあり、天の家庭を中心とした未来の世界のための種を植えることだったのです。真のお父様は、この重要な発見によって、結婚にこのような大きな観点をもたらしました。アダムとエバ、そして彼らに続くすべての子孫たちは、結婚によって神様の愛と共同創造を受け継ぐことができたのです。それはなんと素晴らしいことでしょうか。

男性と女性は不完全な存在であり、結婚して生殖器を交換することによってのみ完全で完璧なものとなれます。そのために、神様は男性が欲しがるものを創って女性に入れ、女性が欲しがるものを創って男性に入れられました。真のお父様は、真の愛を根にして、為に生きるとき夫と妻はその主人となり、互いの世界を抱きしめる旅に出ることができると言われています。結局のところ、私たちがなぜ結婚するのかという質問に対する答えはとてもシンプルです。私たちは神様に似るために結婚するのです。

現実化する

結婚することで人はなぜ幸せを感じるのでしょうか。ある新婚の夫は、「人生の新しい経験を共有できる相手ができて、本当にうれしい」といいました。ある妻は、夫が自分を女王のように扱い、すべてのドアを開けてくれたことを懐かしく思い出しています。夫婦愛を信じていたことで知られるマルティン･ルターは、「良い結婚ほど、愛らしく、親しく、魅力的な関係はない。」と述べています。多くの夫婦が喜びと充実感を感じているにもかかわらず、なぜ今日、生涯を共にしようと決意する若者が減っているのでしょうか。いくつかの原因が挙げられます。

歴史的に見ても、結婚は様々な理由で結ばれてきましたが、そのほとんどが神様とは関係のないものでした。王族であれば、国の主権を維持するため、領土を拡大するため、戦争を避けるために結婚しました。農村では、親は成人した子供に、農作業を手伝ってくれる人と結婚させ、労働力となる息子を産むことを望みました。また、多くの子孫を残すために、複数の妻を持つことが一般的な文化もありました。また、ある社会では女性は何物をも所有することが許されないため、財産と安全を得るために結婚をしたのです。このような状況は、その地域の習わしや習慣によって、現在でも多く存在しています。

現代の結婚は、身体的な魅力や相性の良さを感じて始まることが多いです。このような結婚は、夫婦の成熟した性格や共通の価値観ではなく、条件付きの資質に基づいているため、長続きしない可能性があります。永遠の愛を告白しても、結婚の半分は離婚してしまうのです。その結果、多くの若者が幻滅し、結婚の約束をしないで一緒に暮らすことを選択しています。世間から見れば、車を買う前に試乗するようなもので、とても現実的な方法だと思われています。また、生身の人間よりもコンピューターの画面を好むために、恋愛関係を完全に避ける人もいます。日本では、18～34歳の若者の42％が性的関係を持ったことがなく、今後も持つつもりがないという調査結果が出ています。（注[11]）　現実の恋愛はあまりにも複雑なので、代わりに偽物のセックスで満足してしまうのです。

今日、私たちは、生殖器の目的についての大きな誤解から、今までの結婚観念が容赦なく破壊されようとしています。私たちは、広告や娯楽、そして性の経験を奨励する学校などを通じて、歪んだ性に対する考えを持つ社会に生きています。フリーセックスの世界には、偽った幸せや満足を宣伝する様々な意見が飛び交っています。これらは、本当の親密さの代わりに、ポルノを見ることによる偽の興奮や一時的な喜び、あるいはその他の利己的な性的活動を優先しているのです。現在、人々は結婚の価値や、一人の人と一生を共にすることの必要性に疑問を抱いています。

私たちの多くが、結婚や性について混乱しているのも不思議ではありません。若い人たちには、純粋さを保つことの重要性を示す健全な見本がありません。生殖器の目的や結婚の神聖さについての貴重な教育をどこで受けることができるでしょうか。婚約したカップルが将来、神様を中心とした結婚と家庭を築けるように誰が準備す

---

11. (注) Victoriano Izquierdo, "How Porn & Technology Might Be Replacing Sex for Japanese Millennials," Fight the New Drug, April 17, 2019, (ビクトリアーノ・イズキエルド「日本のミレニアル世代にとって、ポルノとテクノロジーはセックスに取って代わるかもしれない」新薬との戦い、2019年4月17日), https://fightthenewdrug. org/how-porn-sex-technology-is-contributing-to-japans-sexless-population/.

るのでしょうか。真のお父様は、素晴らしい結婚に備えて、純潔を保つことの重要性をすべての人に教育するために、純潔運動を起こさなければならないとおっしゃいました。これが、真のお父様の教えと活動によって発展したハイヌーンをはじめとする教育プログラムの使命です。

真実のラブストーリー

ある老夫婦、マーガレットとドンは、それぞれ別の理由で入院していました。同じ病院に入院していましたが、階が違っていました。娘のパティーは何ヶ月もかけて、二人を同じ部屋に入れようとしました。献身的な娘の説得が功を奏し、最期の日を迎えようとしていた二人は、ついに同じ部屋に入ることができました。ここで、彼らは結婚以来59年間続けてきた、ベッドの間から手をつなぐことができました。マーガレットとドンは最後の数日をこのように過ごし、最後は二人は数時間の差で息を引き取りました。娘は、その間に両親が将来について話していたことを覚えています。お父さんがお母さんに、「天国に行くとき、結婚した時のようにまた一緒に歩いて行こう。また次の新婚旅行だ！」（注[12]）

考察点·アクティビティ

- 結婚する前は、どんな理由で結婚したのですか？具体的に言ってください。
- コミットされていない恋愛関係よりも結婚を選択することの利点は何ですか？
- 結婚生活を向上させるために、又は将来素晴らしい結婚生活を送るためにあなたが準備できることは何ですか？
- 神様に似た結婚とは、あなたにとってどのようなものでしょうか？

---

12. （注）Megan Bailey, "7 Godly Love Stories that Inspire," Beliefnet, 2019,（ミーガン・ベイリー、「インスピレーションを与える7つの神のようなラブストーリー」、ビリーフネット、2019年）, https://www. beliefnet.com/love-family/relationships/marriage/7-godly-love-stories-that-inspire.aspx.

第三章:
夫婦の愛

セックスの神聖なる価値

あなたは何を神聖なものと考えますか？もしかしたら、あなたの家族は食卓を電話や気の散るもののない神聖な場所として捉えるかもしれません。食事を始めるときには、神様にもこの時間を楽しんでもらうために、先に祈祷をして食事をするかもしれません。この伝統を表現するのに神聖という言葉は使わないかもしれませんが、家族が心を通わせ、神様を招く瞬間には、神様が確実にいらっしゃいます。真のお父様は、性行為もまた、夫と妻が心と体とを一つにして、神様をこの深い親密な体験に招き入れる、特別で神聖な時間であると教えています。性行為の神聖な価値に対する真のお父様の教えは、社会や教会では一般的な教えではありませんが、この理解があってこそ、私たちは本当に神様と私たち自身に喜びをもたらすことができるのです。

真のお父様のみ言

106. 「生殖器は神聖なものです。それは正しいですか、正しくありませんか。なぜおかしな目で見るのですか。「統一教会の教主が生殖器の話をする」という目で見ていますか。牧師がそのような生殖器の話をすることができますか。皆、つばを吐きます。生殖器に対してつばを吐く男性、女性がいますか。男性が女性の生殖器につばを吐き、女性が男性の生殖器につばを吐きますか。生殖器は神聖なものです。それは神聖で、神聖で、神聖な生殖器です。神聖なものです。堕落していない、完成したアダムの位置です。神聖な場所であり、神聖な宮殿です。最高の宮殿です。生命の本神殿が生殖器であり、愛の本神殿が生殖器です」(1997. 6. 5)

107. 「頭よりも、愛の器官がもっと重要です。頭には真の愛の起源がありません。真の血統の起源もありません。その起源は生殖器にあります。生殖器にすべてのものがあります。そこに生命があり、愛があり、血統があります。そこが愛の本宮なのです。生命の根もそこにあります。血統も同じです。人間の体だけでなく、人間世界と人類歴史を通じて最も貴いところです。それがなければ人類の繁殖は不可能です」(1990.6.17)

108. 「 旧約聖書を見れば、聖所や至聖所という言葉が出てきます。聖所は人を象徴し、至聖所は愛の家を象徴します。愛することができる家のことを意味します。すべての人が聖所をもっていて、至聖所をもっています。聖所は、神様をお迎えできる家です。至聖所は神様だけが特権的な愛の主管権をもつことができるので、神様と関係を結ぶことができる場所です。至聖所は、天と通じることができる場なのです。神様と直接関係を結ぶことができる至聖所が、正にそこです。それが人間のどこにあるかといえば、皆さんの生殖器です。これは、ほかの誰も触れることはできません。至聖所を守る大祭司は、絶対に二人ではありません。一人です。昔、エバの前でその至聖所の鍵をもっていたのはアダムであり、アダムの至聖所の鍵をもっていたのはエバでした」(1984.6.20)

109. 「アダムとエバがどこで出会うのかといえば、垂直線に行って出会うのです。出会うには愛を中心として一つになるのです。愛をどこに合わせますか。中心、中心に合わせるのです。それが何かといえば、男性と女性の生殖器です。そこに合わせるのです。男性と女性の生殖器はそのように貴いものです。ですから男性と女性は一生の間、それに神様のように侍って生きなければなりません。それが至聖所だというのです」 (1989.1.17)

110. 「生殖器は、愛の王宮です。今、その愛の王宮は、どのようになっていますか。愛の王宮であり、生命の王宮であり、血統の王宮であるもの、そのように貴いものが人間の生殖器です。神聖なのです。最も貴いのです。生命、愛、血統がここに連結されています。このように神聖なものをサタンが汚しました」(1991.7.28)

111. 「神様の最高の傑作品として造られた美しい男性と女性が、神様を中心として愛することができるなら、それは最高の愛であり、超越的な愛であり、この世的な愛ではありません。その愛は最高に美しい愛であり、愛の中の代表的な愛であり、永遠に輝くことのできる愛です」（1969. 10. 25）

112. 「人間の生殖器は神聖なるものです。これらは命の宮殿、命の種がまかれるところ、愛の宮殿、愛の花が咲くところ、血統の宮殿、血統の実がなるところです。この絶対生殖器を通じて絶対血統、絶対愛、絶対生命が生まれ絶対調和、絶対統一、絶対解放と絶対安息日が作られるのです。」(2006. 4. 10)

真のお父様のみ言に対する感想

キリスト教の牧師は、説教の中で性行為について話しすることはほとんどありませんが、話す場合はたいてい、その誤用について述べます。これは、彼らが性行為の神聖な価値を十分に知らないのだと理解できます。今、真のご父母様が、生殖器が神様の地上での最も神聖な宮殿であるという本当の意味を明らかにされたので、私たちは永遠に輝く愛を経験することができます。

神様は、夫と妻が愛し合うときに神様が最も完全に現れることができる最高の芸術作品として、生殖器を創造されました。生殖器には、愛、生命、血統がつながっているので、体の中で最も神聖な部分です。生殖器がなければ、人類はすぐに絶滅してしまうでしょう。真のお父様は、夫と妻は生殖器を通して神様を知り、神様との関係を築くようになると教えています。だからこそ、私たちは神様と同じように敬意を持って生殖器を扱わなければならないのです。性的関係を通して、私たちは人格と精神を完成させ、神様の宮殿となるのです。

現実化する

何故セックスを神聖なものとして扱わなければならないのでしょうか？大半の若者は、誰かを傷つけない限り、自分の体を使って何をしてもいいと信じて育ちます。映画、テレビ、ソーシャルメディア、更衣室での会話、公立学校での性教育の授業など、すべてが自己中心的なカジュアルセックスを正当化し、奨励しています。今日の世界では、選択の自由、即効性、何でも自分にとって正しいと思うことをすることが強調されています。その一方で、性的親密さは失われ、社会問題が増加しています。望まない妊娠、人身売買、売春、ポルノ依存症などが増加しているのは、社会が自己中心的なセックスを容認しているからです。

人類の多くの問題は、宗教が言うところの「性的罪」にさかのぼることができます。真のお父様は、私たちの最初の先祖が自分の生殖器を神聖に扱わなかったために、神様とすべての子女とのつながりが切れてしまったと教えています。祈祷や知識は神様に近づくために役立ちますが、私たちは個人として神様と完全につながることはできません。私たちが祝福結婚をし、親密さを深め、配偶者と性的関係を持つとき、私たちは神の愛を最も深く経験することになります。

神様は、私たちが神様との関係を修復する旅の道しるべとなるよう、異なる文化圏にさまざまな宗教を誕生させました。ほとんどの宗教ははセックスについて包み隠さず話しませんが、結婚は一人の男性と一人の女性の間の神聖な秘跡であり、愛の行為は聖なるものであると信じています。結婚における性行為の役割は、ほとんどの主要な宗教書で強調されています。

カトリックでは、夫婦は「創造主によって作られ、神法に管理された生命と愛による親密なパートナー関係を作り、これは返却できない個人の契約です。…間違いなく完全にお互いに与えるのです。二人はもはや二人ではなく、これからはひとつの肉体を形成するのです。二人が結んだ契約は、それを唯一無二の不可分のものとして維持する義務を夫婦に課しています。…ですから、神様が結び合わせたのを、人間が引き離してはならないのです」。(Libreria Editrice Vaticana, Catechism of the Catholic Church, 2nd ed. Washington, D.C.: United States Conference of Catholic Bishops, 2019, 568)

預言者ムハンマドはコーランの中で、夫と妻の関係をアッラーがデザインしたと述べています。「人びとよ、ひとつの魂からあなたがたを創り、またその魂から配偶者を創り、両人から、無数の男と女を増やし広められた方であられるあなたがたの主を意識しなさい。あなたがたは霊的意識をもって違和を調整しあなたを身ごもった胎を尊敬しなさい。疑いなくアッラーはあなたがたを絶えず見守

られる。」(コーラン4章1節)

ユダヤ教とキリスト教では、結婚と性愛は人生の神の計画とみなしています。「それゆえ、人は父と母を離れ、妻と固く結ばれ、二人は一つの肉となる。」(創世記2:24　英語版スタンダードバージョン)

アンデルセンの「ナイチンゲール」

宝物を大切にする物語

古代中国に、自然の美しさで知られる王国の皇帝がいました。作家や詩人、芸術家たちはインスピレーションを得るためにその国を訪れていました。彼らの作品の題材の一つにナイチンゲールがあり、それを聞いた皇帝は、その鳥の歌声を聞くために捕らえてくるよう命令しました。ナイチンゲールは、捕らえられ、皇帝の誕生日の贈り物としてささげられました。ナイチンゲールは昼夜、皇帝を楽しませました。皇帝はこのような安らぎと喜びを知りませんでした。

ある日、ダイヤモンドやルビーなどの宝石で飾られた人工のナイチンゲールが贈られ、中にはオルゴールが入っていました。皇帝がクランクを回すと、楽しい歌が流れてきました。本物のナイチンゲールは、忠実でおおらかな心を持っていて、甘く歌うのですがくすんだ灰色で、キラキラした美しさはありませんでした。皇帝は機械のおもちゃと一緒に過ごすことを選びました。それでかつて愛した友は宮殿を去り、忘れられ、必要とされなくなってしまいました。

何年も経ち、皇帝は病気で死にかけていました。ナイチンゲールのおもちゃは壊れて直すことができなかったので、元気づける音楽がありませんでした。皇帝はベッドに横たわりながら、本物のナイチンゲールが自分を慰めてくれたことを思い出し、再びその声を聴きたいと思いました。今までナイチンゲールを軽視していたことを反省し、その忠誠心や愛情に感謝していなかったことに気づきました。死を目前にしたある朝、窓の外から昔の友人が楽しそうに歌う見事な音色が聞こえてきました。これは、皇帝を若返らせ、癒しを与える喜ばしい再会でした。

本物のナイチンゲールは模造品では置き換えられません。同じように、「偽物」のセックスは、夫婦間の本物の性的な親密さに取って代わることはできません。神様は、夫婦の愛が永遠に続くように、私たちの生殖器を創造されました。しかし、私たちは皇帝のように、本物の尊さを知らないことがあります。ポルノや自慰行為のような安価なセックスに屈すると、配偶者や神様とのつながりを失い、最終的にはまるで皇帝が人生の終わりを迎えたように孤独になってしまいます。

真のお父様は、性行為の神聖な価値に関するユニークで奥深い理解をもたらしました。真のお父様の基盤によって、祝福カップルは生殖器を尊重し、神様に大きな喜びをもたらす素晴らしい結婚生活を送るための教育を受けています。

考察点·アクティビティ

- セックスの神聖さを失ったことで、世界にどんな影響がありましたか？それはあなたの個人生活に影響を与えましたか？
- 結婚やセックスに適用される「神聖」という言葉は、あなたにとってどのような意味がありますか？具体的な例を挙げていただけますか？
- なぜ人は本物ではなく模倣を選ぶのでしょうか？

天の贈り物交換

クリスマスのプレゼント交換に参加したことはありますか？プレゼント交換にはいろいろな楽しみ方があります。ホワイトエレファント（白い象）では、何度もプレゼントを回し交換しますが、最終的に何をもらえるかはわかりません。シークレット･サンタは、一人の人が指定され、その人のために合ったプレゼントを見つけなければなりません。天国が用意した究極のプレゼント交換は、この二つの例に少し似ています。ホワイトエレファントのように、最初から誰にプレゼントを渡すかを知ることはできません。しかし、シークレットサンタは、ある人のためだけに特別なプレゼントを用意するのです。

真のお父様のみ言

113. 「男性のものは、女性が絶対に願い、女性のものは、男性が絶対に願います。女性のものは、絶対に男性のものであり、男性のものは絶対に女性のものだという事実を知らなかったのです。それを占領することによって、愛を完全に知るのです。二つが一つになるような経験を通してのみ、最高の高い境地の愛を知ることができるのです。どこの誰であれ、このような事実を絶対に否定することはできません。誰でもみな、認定しなければならないのです。二つが完全に一つになるその場で、理想的な夫婦が生まれます。まさに、その場に絶対愛が存在するのです。絶対的に変わらないそのような愛の場に、神様が臨在されるのです」(1997. 12. 10)

114. 「すべての男女が自分たちに所属した生殖器が、実は、自分のものではなく、主人が自分の相対だということを認定するようになれば、私たちすべては頭を下げ、謙虚な姿勢で愛を受け入れるようになることでしょう。愛は相対なしには来ないのです。相対から来るということを知らなければなりません。ために生きないところには、愛があり得ないのです。絶対に為に生きるところで、絶対愛を見いだせるということを肝に銘じてください」(1996. 9. 15)

115. 「男性の宝物は、男性自身はもっていません。男性の宝物は女性がもっていて、女性の宝物は男性がもっているというのです。取り替えてもっているのです。女性の生殖器は、女性のものではありません。男性のものだということを知らなければなりません。自分のものではありません。男性も同じです。したがって、自分の思いどおりにできないのです。米国の女性たちは、自分がもっている生理的五官が自分のものだと思って自由に行動して、ありとあらゆることをします。男性たちもありとあらゆる行動をします。皆さんは管理人です。管理人が主人のように振る舞っているというのです」(1987. 3. 22)

116. 「人間が生まれた目的とは何ですか。愛の道を訪ねていくためです。それで、男性と女性がもっている生殖器官は自分のものではありません。男性についているものは男性のものではありません。ところが、これを自分のものだと思っていました。女性についている生殖器官の主人は女性ではありません。その主人は男性です。そして、男性についている生殖器の主人は誰かといえば、女性だというのです。このように、愛の主人を取り換えて配置したという驚くべき事実を知らなければなりません」。(1986. 3. 15)

117. 「 男性がいるのは、男性の相対である女性のためにいるのです。それゆえに、神様は知恵の王なので、けんかして離れることがないようにするために、最も貴いものの主人をお互いに入れ替えて装着したのが男性の生殖器と女性の生殖器です。これが貴いのです。これが愛の至聖所です。モーセの契約の箱のために建てたのが至聖所だと言ったでしょう?　これに触れば、雷に打たれるようになっています。一代、万代に滅亡が訪れてくるのです。その主人である祭司長は、唯一夫です」(1989. 6. 18)

118. 「きょう、ここに十カ国以上の大統領が来ていますが、その国の放送を通じて、これを通告してみてください。男性が男性のために生殖器をもったのか、女性のためにもったのかと尋ねてみてください。それが自分のものだという人は、どろぼうです。自分のものだと考える盗賊だというのです。笑うことではありません。歴史的な宣言です。このように生きれば、平和の世界が目の前に来ます。神様のみ旨の中の重要なみ旨が愛のみ旨です。この愛のみ旨を人間の前に伝授してあげるために、最も貴重な器官をつくられた、それが生殖器ですが、男性の生殖器は女性のものであり、女性の生殖器は男性のものなのです！　アーメン！　『そうではない』と言いますか。それが間違っていると思いますか」（1996. 4. 15）

119. 「男性と女性が愛することができる生殖器なのです。ところが、神様は、知恵があるので、この愛の器官を入れ替えておきました。離れようとしても離れることがないようにするためです。離れたとしても、再び戻ってきてそれを探さない限り、どこにも行く所がないというのです。どこかに行って安息する所がないというのです。それをもっていってこそ、天下のどこに行ってもみな和合して、歓迎するようになっています」（1986. 10. 25）

120. 「夫の生殖器の主人は妻であり、妻のものの主人は夫です。生殖器の主人が互いに取り替えられていることを知りませんでした。これは明快な真理です。これを否定できないというのです。千年、万年、歴史がいくら流れても、この真理は変わりません」（1996. 9. 15）

121. 「あらゆる男性たちは、それが自分のものだと考え、またあらゆる女性たちも、それが自分たちの所有だと考えたために、世の中がこのように滅びつつあるのです。互いが主人を間違えているという話です。すべての人々は、愛は絶対的であり、永遠なるものだといいながら、夢のようなものだけ考えていますが、その永遠の愛の主人がひっくり返っているということをはっきりと知るなら、世の中がこれほどまでにはならなかったはずです」（1996. 9. 15）

122. 「アダムとエバは、自分たちの生殖器が自分たちの所有だと錯覚したのです。問題を誤って、宇宙のどこからも公認を受けられなくなったので、追放されてしまったのです。鉱物界や植物界や動物界の雄と雌もすべて、愛の相対のために自分の生殖器を保管しているということを、アダムとエバが知らなかったのです。では、生殖器は何のために存在するのでしょうか。それは愛のためです。愛を探すためにそのように男性と女性として生まれたというのです」(1996.9.15)

真のお父様のみ言に対する感想

真のお父様は、神様は妻が最も大切にしているもの、つまり妻の生殖器を大切にするために男性を創造されたと教えてくださいました。それは男性にとって自然な魅力を持つものであり、自分のものと同じようにそれを大切にします。それは妻にとっても同様です。所有権が移るということは、お互いに必要なものを大切にするということです。生殖器の所有権を交換した神様のみ旨は、夫と妻が深い親密さの中で永遠に結ばれるようにすることでした。それぞれが相手の欲求を満たすことで、自分たちだけでは得られない喜びを味わうことができるのです。夫婦がこのようにお互いを尊重し、この真理に沿って生活することで、忠実な結婚生活と健全な家庭が生まれ、地域社会と平和な世界の礎となるのです。

現実化する

所有権の交換

神様の創造物はすべて引力の原理に基づいて作られています。花の雄しべと雌しべのように、自然と授受作用によって一つになります。雌しべは雄しべのために作られ、その逆も同じです。エネルギーの交換が生じます。チューリップの花を茎の長さに沿って縦に切り開くと、雄の部分である雄しべが見えます。雄しべは長い管で構成され、その先端には花粉が付いています。中央には雌しべと呼ばれる長い管があり、先端には通常、粘り気があります。その根元には花の卵巣と呼ばれる膨らみがあり、中には小さな卵が入っているように見えています。ミツバチは、花の蜜を集めながら、雄しべの花粉を雌しべに移して受粉させます。

　雄しべが花粉を送り、雌しべがそれを受け取ることで応えます。両者は所有権の交換に基づく絆を共有し、花は次の世代のための種を生み出すことができるのです。これにより、生命が継続されるのです。

真のお父様は幼少期に田舎に住んでいて、自然の中を歩き回り多くの時間を過ごしました。その時、動物や植物から愛について学んだと言います。真のお父様は、神様の創造において、すべてのものは相手のために存在していると結論づけました。所有権の交換によって二つの部分が一つになったとき、神様のエネルギーが増殖し、新たな創造に必要な力が供給されるのです。

結婚は、夫と妻の関係で真の愛が始まり、永遠に続く場です。それは、神様が神様の血統を遺すことのできる場です。神様は、私たちが一緒になって生殖器の所有権を交換し、永遠のパートナーと永遠に真の愛を保ち、広がるように計画されました。

マギーの贈り物:著者　O. Henry

配偶者のために自分の最も大切なものを犠牲にする夫と妻の物語です。
デラは1ドル87セントしか持っていませんが、翌日はクリスマスです。夫のために何か特別なものを買ってあげたいのですが、この金額だけでは足りません。そこで彼女は、あるアイデアを思いつきます。彼女は自分の髪を束ねている古いピンを取り出します。彼女の美しい髪の毛は膝まで落ちました。彼女は家を出て、人毛を買う店に行きました。髪を短くして20ドルを財布に入れ、デラは宝石店で買い物をしました。すべてのものが高すぎましたけれどジムの時計に合った金の時計チェーンを見つけたのです。彼女は、ポケットに残りの８７セントをもって家に帰り、夫が帰宅する前に短い髪を隠そうとします。ドアを開けて妻を見ると、彼は読み取れない奇妙な顔の表情をしました。

デラは新しい髪型のせいだと思い、理由を説明して怒らないように懇願しました。ジムは彼女を抱きしめ、ポケットから紙に包まれた何かを取り出しました。包みを開けると、中には何ヶ月も前から店の窓に飾られ彼女が憧れていた櫛が入っていました。彼女がどうやって買ったの？と聞くと、彼は時計を売った！と答えます。彼女は彼に時計のチェーンを見せ、二人はプレゼントを後で楽しむことにしました。

この物語のタイトルは、聖書に出てくる、赤ん坊のイエスに贈り物を持ってきた賢者の話から取られています。ヘンリー氏は物語の最後で、デラとジムを賢者になぞらえて彼らは最も賢いと言っています。「それぞれが自分の持っている最も価値のあるものを売って、相手への贈り物を買いました。」自分の利益よりも相手の利益を考えて決断することは賢明な選択であり、これこそが愛が育つ道なのです。

天の贈り物交換

夫婦の愛に関する真のお父様の啓示的なパラダイムは、一言で言えば「祝福結婚の後、夫と妻はそれぞれ自分の生殖器の所有権を配偶者に与える」というものです。夫は妻の生殖器の所有権を得ると、自分の新しい宝物に敬意を払います。まず妻を喜ばせるために、自分の満足を遅らせることが求められます。また、妻も同様です。妻は夫の必要性を理解することが求められます。お互いに相手の幸せのために尽力するのです。このような夫婦間の生殖器の交換が、永遠の真の愛の関係の基礎となるのです。「天の贈り物交換」とは、夫と妻が日々、永遠に愛を育んでいくための神様の計画なのです。

考察点·アクティビティ

- あなたは、非常に大事なものを預かる責任を負ったことがありますか？あなたはそれを大事にするために何をしましたか？
- 夫婦が自分の生殖器は相手を喜ばせるために存在すると考えていたら、結婚生活の関係はどうなるでしょうか？
- 誰かが本当に欲しがっている物をあなたがプレゼントしたときあなたはどんな思いをしますか？

二人が一つになる

チョコレートケーキを作るための材料を混ぜる前に試食したら、バター、小麦粉、チョコレート、砂糖は美味しくないはずです。そのケーキが焼き上がると、とても良い匂いがして、食べるのが待ちきれないでしょう。創造主である神様も、全く異なる要素を組み合わせて、その各部分よりもはるかに大きなものを作るのがお好きです。その代表例としての神様の計画は、男性と女性がそれぞれの男性性相と女性性相を合わせて、素晴らしい結婚と美しい家庭を築くことです。独身の人は、なぜ自分が孤独を感じるのかと思うかもしれませんし、幸せな結婚生活を送っている人にとっては、配偶者のいない生活が一生続くことは想像もできません。配偶者と一つになるまで、なぜ私たちは不完全だと感じるのでしょうか。

真の御父母様のみ言

123. 「神様の無形の二性性相がアダムとエバの実体として分かれたのですが、これが再び縦的に会うのが結婚式です。結婚して一つになる瞬間は、未完成の半分が完成する瞬間であり、完成品として合格する瞬間であり、相対の世界を抱く瞬間です。愛の力以外にはそのようにできるものがありません。それだけではなく、神様を占領するのです。結婚は、相対を占領して神様を占領するのです。それが正に結婚です。でたらめにするのではありません」（1994. 3. 11）

124. 「結婚とは、半分の男性と女性が生殖器を一つにすることによって、お互いが完成することです。男性は女性の愛を中心として完成し、女性は男性の愛を中心として完成します。男性は女性を完成させ、女性は男性を完成させるのです。真の愛で一つになります。愛が中心になって生命が活性化され、二人が一つになる位置がその場です。男性の血と女性の血が一つの器の中で一つになる位置がその場だというのです。その場から息子、娘が生まれます」真のお父様（1997. 1. 1）

125. 「統一教会では結婚を祝福といいます。自分が独りで愛を求めていく孤独な道を捨て、男性と女性が孤独なときに互いに慰労することができ、うれしいときに一緒に喜ぶことができ、困難なときに力になってあげられる相対的立場に立ち、一人は右足になり、一人は左足になり、一人は右手になり、一人は左手になって、神様を称賛して神様の愛を自分たちの生活舞台に広げていく生活が結婚生活なのです」真のお父様（1978. 10. 28）

126. 「人間において、愛は永遠なものであり、二つでなく一つです。男性と女性が愛によって結ばれると地上で百年偕老（注：共に年を取ること）しなければならず、死んでも永遠に共に生きなければなりません。体は二つだけれども、一つになって回ることによって一体になるのです。二つの体が一つになれば、神様と共に回るようになり、愛の四位基台を成すようになり、それがすなわち愛の理想世界なのです。そこには偽りの愛が侵入することができず、ただ真の愛のみが存在できるのです」真のお父様（1997）

127. 「夫婦関係は、親子や兄弟姉妹の関係と違って、血縁で結ばれているわけではないので、最初から絶対的なものではありません。それは、異なる環境や生育環境の下で生きてきた男女が出会い、共に新たな人生を切り開いていくという、真に革命的な決意と覚悟が伴うものです。とはいえ、夫婦が真の愛によって心と体が一つになれば、夫婦関係は血縁関係よりも強く絶対的なものへと変化していきます。夫婦関係には、永遠に続く宝物が隠されています。一度でも天を中心とした夫婦の絆が結ばれると、永遠に切り離せない絶対的な関係に成長します」真のお父様（2004. 12. 2）

128. 「真の男性と真の女性と神様が真の愛に基づいて完全に一つになったところに、人生観、宇宙観、神観など、すべての問題を解決する鍵を見つけることができます。神様の真の愛は、投入してはまた投入し、与えてはまた与え、与えたことすら忘れるのです」真のお母様（1992. 5. 11）

129. 「夫婦が一緒に暮らすのに、一生の間楽に暮らすよりは、愛を中心として曲折を経ながら、台風も来て、暴風雨も降って、雷も落ちる、そのような多様性を感じながら、理想の愛を追求するのがもっと幸福なことでしょう」真のお父様（1987. 7. 19）

130. 「男性は、女性の愛を中心として完成するのです。男性は女性を完成させ、女性は男性を完成させるのです。それは、真の愛を中心として完成させるのであり、真の生命の結合が展開するのです。真の愛で一つになるのです」真のお父様（1997. 1. 1）

131. 「人間の完成はどこにあるのでしょうか。男性なら男性自体で完成する道はなく、女性なら女性自体で完成する道はありません。それは、すべて半製品だからです。したがって、男性と女性が完全に一つになった愛を中心としてのみ完成するというのです。アダムが完成するには誰が絶対に必要でしょうか。神様が絶対に必要なのですが、神様は縦的に絶対必要です。アダムが完成しようとするなら、縦横の因縁をもたなければなりません。縦横の愛の因縁をもたなければ回転運動、球形運動が不可能です。それゆえに、横的にアダムに絶対必要とするのはエバです。同じように、エバにも絶対必要なのがアダムです」真のお父様（1986. 6. 1）

132. 「二人が一つになるという経験を通してのみ、最高級の愛を知ることができます。絶対に誰もこの事実を否定できません。誰もが認識すべきことです。夫婦が完全に一つになったところに、理想の夫婦ができます。その場所には、絶対的な愛が存在します。絶対に変わらないその愛の場所こそが、神様の宿る場所なのです」真のお父様　（1997. 8. 10）

133. 「 男性と女性は互いに半分にしかなりません。ですから、女性は男性の世界を占領しなければならず、男性は女性の世界を占領しなければなりません。そのようにすることによって、完成するのです。正の位置にいらっしゃる神様から分立された二性性相を、再び愛で合わせて神様に似ていくのです」真のお父様（1994. 5. 19）

真のご父母様のみ言に対する感想

私たちは、完成することができるだろうかと考えるかもしれません。もしそれが可能だとしたら、個人として完成することは可能なのでしょうか、それとも不可能な夢なのでしょうか?真のお父様は、私たちの創造主がアダムとエバという形でもって神様の二性性相を表現したのは、二人が祝福された夫婦として地上で実質的に、一体となって成長し、神の宮となるためだと教えています。私たちは全体の半分でしかないので一人では完全になることはできないと説明しています。配偶者と結ばれた後は、霊界で永遠に共に生きるために、夫婦としての愛を完成させるという生涯にわたるプロセスが始まるのです。結婚することで、私たちは神様と世界に愛を与えることができるということを知るのは、素晴らしいことではないでしょうか?

現実化する

化学では、二つの物質を組み合わせることで、強力な反応が起きることを学びます。全く異なる元素を組み合わせることで、はるかに優れた性質を持つ新しい物質を作り出すことができるのです。例えば、ナトリウムと塩化物を組み合わせると、食塩になります。

男性と女性は、その二つの人生が一つになるまで、各々は不完全なのです。夫婦がお互いに支え合い、慰め合い、励まし合うことで、個人としての力よりもはるかに大きな力となります。どんなに困難な状況でも、それを乗り越えて素晴らしい人生を送ることができるのです。私たちはさまざまな場面で人と関わりますが、結婚は神様が創られた唯一の場所であり、血の繋がりのない二人が生涯にわたって関係を結ぶのです。最初のうちは、関係を維持するために多くの努力が必要かもしれません。長年投入すると、二人の間を引き裂くものは何もありません。

神様は性行為を、夫と妻が絶対的で、不変で、永遠に一つになるための美しいユニークなものとして設計しました。私たちはもはやこの世界で孤独ではなく、配偶者もまた孤独ではないというのは何より素晴らしいことです。私たちは、深く親密で深遠な方法で,　伴侶とつながっているのです。

救世軍の設立

1865年、ウィリアム·ブースとキャサリン·ブース夫妻は、イギリスで救世軍を設立しました。二人は共同で活動し、弱い立場にある人や貧しい人たちに、常識にとらわれない方法で福音を伝えました。彼らが選んだのは、伝統的な教会では歓迎されない売春婦や泥棒など、困難な生活を送っている人々への奉仕でした。

ウィリアムとキャサリンは、八人の子供を育て、救世軍を発展させるために、お互いに献身的に尽くしました。当時、女性が教会の指導者として夫と責任を共有することは珍しいことでしたが、神様の計画を遂行するために、神様は忠実な夫と妻を必要としていたのです。救世軍は飛躍的に成長し、現在では百三十一カ国で活動し、チャリティーショップの運営、ホームレスのためのシェルターの運営、自然災害時の人道的支援などを行っています。ブース夫妻は、神様を中心とした結婚の力を証しています。二人が神様と一つになり、他の人のために生きるとき、その結果は永遠に続く尽きることのないの宝物となるのです。

真のご父母様の聖なる結婚式

メシヤの使命も、夫婦でなければ達成できません。真のご父母様の聖婚式は1960年4月11日に行われました。真のお父様はその結婚式中に、お母様に次のようにおっしゃいました。

「私との結婚が、普通の結婚とは違うことをよく知っているだろう。私たちが夫婦の因縁を結んだのは、神様から受けた使命を果たし、真の父母になるためであって、世の中の人たちのように男女の間の幸福のためではない。神様は真の家庭を通して天国をこの世に広げたいと願われている。私たちはこれから、天国の門を開く真の父母になるための厳しい道を行かなければならない。歴史が始まってからこの方、その道を行った者は誰もいないから、私たちの行くべき道がいかなるものか、私にも分からない。」彼女は「私の心はすでに決まっています。心配しないでください」と答えました。彼女の苦しみは大きかったと思います。私たちはお互いに歩み寄るのに七年の月日を重ねました。このような話をしたのは、夫婦関係で最も大切なのは信頼関係だからです。それがあるからこそ、二人は一つになれるのです。(『平和を愛する地球人として』P. 204)

真のご父母様は、お互いへの愛と共通のビジョンを共有することによって世界中のすべての人々を抱擁しました。天の父母様が、私たちを一人で人生を歩まなくても済むように創造されたのは、素晴らしいことです。神様は、男性の世界と女性の世界を全く正反対に、同時に補い合うように作られました。結婚することによって、私たちは生涯のパートナーとなり、共に笑い、共に泣き、良い時も悪い時もお互いに助け合うことができます。夫婦が神様の計画通りに結ばれたときの可能性を想像してみてください。

考察点·アクティビティ

- 配偶者と一緒にプロジェクトに取り組んだことによって、個人ではできない大きな成果を上げることができたことはありますか？
- 夫婦間の一体感はどのようにして生まれると思いますか？
- 夫婦のチームワーク（協力）を高める方法について話してみてください。もしあなたが独身なら、将来の結婚生活のためにどのようなチームワークスキルを身につけることができますか？

結婚生活における貞操

パリのポン·デ·ザール橋を歩いて渡ると、恋するカップルが置いた何千個もの鍵を目にするでしょう。川の底には、橋から投げ捨てられた錠があり、再び開くことはできません。この美しい伝統は、神聖な誓いによってロックされた、壊れない永遠の愛を象徴しています。錠と鍵は、古代中国から現代のパリに至るまで、揺るぎない愛と忠実さを象徴するものとしてきました。次は真の御父母様の貴重なみ言葉です。

真のご父母様のみ言に対する感想

134. 「女性のへこんでいる生殖器は誰のものですか。それが女性に必要ですか、男性に必要ですか。女性に絶対必要ですか、男性に絶対必要ですか。男性に絶対必要なのです。また男性のものは女性に絶対必要なのです。その鍵を誰がもっているのかといえば、女性のものは男性が、男性のものは女性がもっています。それゆえに、それを開くことができる人は、ただ一人です。真の愛は一つなので、一つの真の愛を主管することができる人は、真の男性であり、真の女性だというのです」真のお父様,(1990. 12. 1)

135. 「夫婦間において、生命よりも貴く守るべき絶対「性」のモデル、すなわち絶対貞節の天法です。夫婦は、天が定めてくださった永遠の伴侶として子女を生むことによって、真の愛、真の生命、真の血統を創造する共同創造主の、絶対、唯一、不変、永遠性の本源地なのです」真のお父様,(2007. 2. 23)

136. 「男の生殖器は誰にとって絶対に必要なのでしょうか?それ

は彼の妻のために存在しています。それぞれが相手のために存在しているのです。夫婦が完全に一つになったところに、理想の夫婦ができます。そこには絶対的な愛があります。絶対的な愛の場所こそが、神様が臨在する場所なのです。絶対「性」と呼ぶ結婚生活における貞操は、神様を中心としたものであり、フリーセックスはサタンを中心としたものです」真のお母様（1997. 11. 27）

137. 「相対がいなければ、愛の主人の位置に、永遠に立つことはできません。男性を完成させるのは女性です。女性だけが男性を愛の主人とし、男性だけが女性を愛の主人にするのです。そのほかの主人は、偽者たちです。その鍵は、一つであって、二つではありません」真のお父様（2004. 6. 13）

138. 「愛が中心となって二人が生命の合一体となり、一つとなる場所、男性の血、女性の血が一つのるつぼで一つとなる場所が生殖器です。その場所は息子、娘よりも貴く、夫より、神様よりも貴いということを知らなければなりません。このような話をするので異端者と言われるのでしょうが……。その場所がなんですって？　子供より貴く、夫より貴く、父母より貴い場所です。それがなければ父母も無価値なものであり、夫婦も無価値なものであり、息子、娘も無価値なものとなるのです。そのように貴いので、宝物の中の宝物として、世の中のどこの誰にも見えないように、一生の間、錠がかけられているのです。そして、そのかぎは男性のものは女性が持ち、女性の物は男性が持っているのですが、各々一つしかありません。一つのキーのみ持たなければなりません」真のお父様（1997. 1. 1）

139. 「本来、人間は配偶者の愛を他人と共有することを好まない。夫婦間の水平的な愛の関係は、親子間の垂直的な愛の関係とは異なり、いったん他人と共有するとダメになってしまいます。それは、創造の原理によって、夫婦が絶対的な愛の一体性を形成することが必要になるからです。人間は、絶対的に配偶者のために生きる責任があるのです」真のお父様（1996. 4. 16）

140. 「男性は神様の愛を中心として女性を愛するにおいて、「完全に愛した。最初から最後まで永遠に変わらずに愛した」と言える立場に立たなければなりません。また女性はそのような立場に立つために自分の体をしっかりと封じておかなければなりません。蓮の花が多くの花びらで何重にも包んであるように、しっかりと埋めておかなければなりません。そうして春という季節に、天地の調和に合わせ、そこに和合して新しい人生を出発しなければなりません。これを、しっかりとしなければなりません」真のお父様(1969. 10. 25)

真のご父母様のみ言に対する感想

結婚における貞操とは、最も貴重なものをたった一人の人、つまり永遠の配偶者と分かち合うことです。真の親密さは独占性と直接関係しており、それが結婚を特別なものにする一因です。真のお父様は、生殖器の鍵は一つのみだといわれます。沢山の鍵があるフリーセックスの世界では、愛と家庭の理想が失われてしまいます。理想的な家庭を築くための神様の美しいデザインは、結婚における純潔です。 夫と妻は、天から与えられた神聖なパートナーです。夫の生殖器は妻だけのものであり、その逆もまた然りです。私たちは常にフリーセックスに反対する事により、光り輝く真の愛を体験することができるのです。

春香(チュンヒャン)

これは、十八世紀の韓国の伝統的な民話です。儒教の道徳観に強く影響を受ける韓国の文化は、何千年もの間、女性の高潔な行動を賞賛し、救世主が生まれるための純潔の天の文化を準備してきました。

物語の主人公は、知事の息子であるモンリョン·リーと、彼が恋に落ちて結婚した女性、平民の娘である春香·ソンです。モンリョンは自分より身分の低い娘と結婚したら、父の知事はすぐに彼を勘当するだろうと思っていたので、若い夫婦は結婚を秘密にしていました。しかし総督の転勤に伴い、一家はソウルに移ることになります。モンリョンは忠実な妻を置き去りにすることを余儀なくされ、公式試験に合格したら妻を迎えに行くと約束します。

モンリョンの父に代わって新知事となったハクドビョンは、チュンヒャンと出会い、彼女を自分のものにしようとします。春香にはすでに夫がいて、これからも愛する人に忠実であり続けると言い断ると、新任の知事は彼女に鞭打ちの刑を科しました。一方、ソウルに戻ったモンリョンは将校になり、秘密にしていた妻と別れた三年後に羅州市に戻ることになります。そこで彼は、知事の欲望を拒否した罰として、知事の誕生日に妻が撲殺されるという衝撃的なニュースを知るようになります。モンリョンは貪欲な悪徳知事を逮捕し、夫婦は幸せに再会しました。

この物語は、天の道理を教えてくれます。結婚の誓いを守るために命を懸けるようなことはないかもしれませんが、その誓いは春香のように絶対的で揺るぎないものでなければなりません。

141. 「私たちが掲げているのが、純潔と絶対「性」です。純潔運動と真の家庭運動だというのです。その純潔運動と真の家庭運動は、真の愛が中心にならなければなりません。真の愛を中心とした純潔と真の家庭であって、真の愛がなければ、純潔もなく、真の家庭もありません。「純潔」と言えば、すぐに「真の愛」を考えるのです。それから、真の家庭は、節操がなければなりません。春香（チュニャン）と李道令（イドリョン）のように、鉄石のごとき節操によって、絆を尊重しなければならないというのです。そのようにすることにより、真の家庭が実現できるのです」（1997.8.9）

不貞行為とは？

米国では、結婚生活の50％が離婚に至ると言われていますが、その大きな理由として不倫が挙げられます。実際、少なくとも四家庭のうち一家庭は不倫を経験していると言われています。不倫は、感情的および性的独占に関する結婚契約の違反です。ほとんどの不倫関係の出発点は、満たされない感情的な欲求から始まります。夫や妻が自分の欲求を満たすためにお互い以外の人を探していると、パートナーの価値を下げ、関係を危うくします。不倫をすると信頼関係が破壊され、結婚生活に深刻なダメージを与えます。多くのカップルはこれであきらめてしまいますが、夫婦がともに問題解決のために努力して、貞操の誓いを立て直すことで、存続できる結婚もあります。

現実化する

貞操を実践化

社会科学者や結婚専門家たちは、婚外恋愛という不健全な動きを抑えることができずにいます。彼らは何を見逃しているのでしょうか？究極の解決策を知るには、生殖器に対する神様のみ旨を知る必要があります。真のお父様は、私たちの生殖器は最も神聖で尊いものであり、神様はその性器を一人の人、つまり私たちの永遠の配偶者とだけ共有するようにデザインされていると教えています。これが一つの鍵という意味です。男女が結婚して、お互いの生殖器を独占し共有すると、健康的な親密さと永遠に続く愛を経験することができます。

真のお父様は、結婚における貞操とは、夫と妻が祝福結婚を受けた日に交わした約束を、その後も常に守り続けることであると教えています。多くの新婚カップルは、何もかも共にすることを望んでいます。各々が経験した感動的なことや困難なことを、最初に配偶者に知らせたいのです。感情的な貞操、つまり、最高に楽しいことや極度につらいことも、まず配偶者と分かち合いたいと思うことは、結婚生活においてとても重要です。夫と妻は、笑いも涙も共有します。人生の荒波を共に乗り越えれば、永遠の喜びの岸辺にたどり着くのです。

忠実であることが結婚生活の成功を保証するのでしょうか？残念ながら、そうではありません。貞操だけでは、パートナーとの親密な関係を保つことはできません。夫婦が誓いを守り、貞操を守り、正しいことをしているように見えても、性的･精神的な親密さがなければ、永続的な満足を得ることはできません。　夫婦の愛は、生涯にわたって多くの努力とケアを必要とすることを心に留めておく必要があります。神様の視点では、結婚生活における貞操は、家庭を成功させ、調和のとれた世界を築くための最も重要な要素です。神様はそれぞれの配偶者に、生涯を共にする大切なパートナーとだけ共有するための鍵を一つずつ与えました。

考察点·アクティビティ

- なぜ夫婦は最もうれしいことと最も悲しいことを最初に配偶者と分かち合うのでしょうか？
- 日常の中で貞操を実践するために、夫婦は何をすればいいのでしょうか？
- 祝福結婚を受けるということが、完璧な結婚生活のための魔法の薬であると思ったとはありますか？
- 困難は夫婦としての成長に役立つと思いますか？

真の愛は盲目

映画『ファンタスティック·フォー』では、盲目のアーティストであるアリシアが、事故で肉体が岩のように変わってしまい、婚約者に捨てられた直後のベンと出会います。アリシアは、”ザ·シング　(モノ)　“と呼ばれるようになったベンと恋に落ちます。アリシアはベンが自分自身を受け入れ、スーパーヒーローとしての新しい役割を受け入れるように共助しました。ベンは、「外の世界がどんなものか、あなたにはわからないだろう。サーカスの見世物のように歩き回るんだ。人に見られたり、ひそひそ話をされたりするんだよ」と言いました。アリシアは、「人と違うことは悪いことばかりではないわ」と答えます。「愛は盲目」　というフレーズは、相手の本当の姿を見抜けなかった場合のネガティブな意味で捉えられがちです。しかし、この表現は、お互いの良いところを見ようとする夫と妻に当てはめると、肯定的な意味にもなります

真のお父様のみ言

142. 「初愛の人は本当に価値があります。初愛の人の目には、自分の対象が神秘的に美しく映るものです。ある女性は、自分の鼻が醜いと思っているかもしれません。心の中では、できることならいつも隠しておきたいほど醜い鼻だと思っているかもしれません。しかし、初愛では最愛の人が「いや、手を下ろして。その鼻を見たい。今まで見た中で一番美しい鼻だよ」と言います。彼は本気でそう言っているのです。 夫にとって、その鼻は最高の鼻なのです。他の人はそれほど夢中にならないかもしれませんが、初愛の人はそう見えるのです。背の高い女性に憧れていた小柄な女性は、結婚したら背を高く見せようとするかもしれません。でも、初愛の夫は「彼女

がもっと小さければポケットに入れられるのに！」と言うのです」（1987.8.30）

143.「無垢で純粋な赤ん坊は、母親がどんな姿をしていても愛しています。たとえ母親が片目だけのせむしだとしても、赤ん坊は母親と一緒にいたいと思います。それと同じように、男性も女性も無条件に愛し合うべきであり、お互いを評価しようとしてはいけません。あなたが子供の頃、父母を純粋に愛したように、あなたも相対者を愛するべきです。あなたはそれをできる自信がありますか？」（1982.6.20）

144.「 エデンの園にいたアダムは、他の女性が美しいと思ったでしょうか？エバはこの人より他の男性が素晴らしいと思ったでしょうか？神様が偶然にエバの目を一つだけにしたとしたらどうでしょうか？アダムの初恋に火がつくと、エバが片目だけだとしても可愛く見えるでしょう。初恋は奇跡を生むのです」（1982.6.20）

145.「真の愛は万能です。できないことはありません。自分が理想を描くと、理想を描いた相対が現れます。夫がハンサムでなくても、愛するようになれば、ハンサムに見えるのです。愛の中では外見の醜さを変えてしまうのです。私たちは、自分の顔を覚えていません。毎日のように鏡を通して自分の顔を見てはいますが、自分の顔を覚えていないのです。写真を見ながら、「私はこんなふうに見えるのだ」と思うのであって、鏡を通して顔を見る時には、そのようなことは考えられません。考え方によれば、醜い人の中で最も醜い人のようでもあり、ハンサムな人の中で最もハンサムな人のようにもなるのです。また、顔は丸く見えたり、細長く見えたりもします。愛の目で見るようになるときは、私たち以上に整った人はいません。目の近くに何かを持ってきたとき、それが見えますか。適当に距離を置き、焦点を合わせて見ると、はっきりと見えるのです。ですから、近すぎると、感知することができないのです」（1979.12.16）

146.「 愛する夫婦同士、一方的に相手の顔がどうだと決めつけてはいけません。自分の相対の顔が一つの模様でのみ感じられるならば、それほど嫌なものはありません。相手の顔はうれしい気持ちで見れば、うれしい状態で現れ、愛の心をもって見る時は、美しく見えるのです。水が流れる時、曲がりくねるのと同じように、一つのうねりが回るたびに新しい模様が現れるように、いつも相手の顔を新しく感じなければなりません」(1997)

147. 「結婚は私のためにではなくて、相手のためにするという信条をもたなければなりません。結婚を、立派な人、きれいな人としたいというのは間違った考えです。人間は他のために生きなければならないという原則を知ったなら、結婚も相手のためにするという考えをもたなければなりません。いくらみすぼらしい人でも、美人よりももっと愛そうという信念をもつのが原則的な結婚観です」(1997)

148. 「どんなに醜い妻であっても、その人が本当に愛していれば、妻が呼べば自然とついてくるものです。真の愛を中心とした一体感があれば、夫は妻の手招きに応じ、年長者は年少者の呼び掛けに応じ、年少者は年長者の呼び掛けに応じます。誰一人として離れようとはしません」(1996. 9. 15)

149. 「純金という二十四金は、韓国の地から出てきたものも、景色の良い所から出てきたものも、水中から出てきたものも、どこかの山の谷間、人とかかわりのない地から出てきたものも、価値は同じです。自分が愛そうとする相対に対して、生殖器の愛というものが、「ああ、あなたは顔が悪いから私は嫌だ」と言いますか。愛の関係を結べば、そのあばたがかわいくなるのです。」(1996. 2. 4)

真のお父様のみ言に対する感想

祝福結婚は、夫と妻が相手の欠点を乗り越えることを学ぶ生涯の旅の始まりです。祝福カップルは、批判したり比較したりすることなく、無条件にお互いを愛することで成長することができます。配偶者を批判するのではなく、神様の大切な娘や息子として見るのです。愛と喜びをもって配偶者の顔を見れば見るほど、その人はより美しく見えてきます。無条件の愛はすべてを変えます。魅力のない配偶者を魅力的なパートナーに変えることができます。真の愛を中心とした一体感があれば、配偶者の神聖な性質が見えてきます。

これは、配偶者を見るときだけでなく、自分自身を見るときにも当てはまります。特に若い人たちは、自分の外見に対して厳しいところがあります。自分の容貌が気に入らないときは、自己批判ではなく、愛の目で鏡を見る練習をしてみましょう。そうすれば、神様の息子や娘としての自分に自信を持つことができます。短所に目を向けるのではなく、長所を見るのです。傷を見るのではなく、内面の美しさを見るのです。真の愛は本当に盲目なのです。

カエルの王子様

グリム兄弟の愛を学ぶ物語をご紹介します。

ある日、庭を歩いていたプリンセスは、池のほとりの茂みにつまずいて転んでしまいました。彼女が最も大切にしていた宝石、ダイヤモンドのネックレスが壊れて、濁った水の中に落ちてしまいました。両親である国王と王妃から贈られたものだったので、彼女は動揺して泣き出してしまいました。すると突然、話すことのできるカエルが現れて、助けてあげるよと言いました。彼女はもちろん、カエルが話すことに驚きました。しかし、ネックレスをどうしても取り戻したいと思った彼女は、驚きには構わず、カエルにネックレスを取ってきてほしいと頼みました。するとカエルは、「宝物を取り返すためなら何でもすると言っていたのを聞きました。あなたと取引をします。お金も、報酬としての富も欲しくありません。ただ、あなたの友情が欲しいのです。私を連れて三日間宮殿に住み、友達になってくれると約束してくれたら、ネックレスを取って差し上げます」と言いました。

彼女はこの奇妙な頼みに同意し、カエルは水に飛び込み、ネックレスを持ち帰ってきました。彼女はお礼を言って、宮殿に戻ろうと歩き始めました。カエルは、「ねえ、僕を連れて行ってくれるって約束したじゃないか！」と叫びました。彼女はすぐに約束を後悔し、彼を無視しようとしました。しかし、おしゃべりのカエルがあまりにもしつこいので、仕方なく宮殿に入れてあげることにしました。食堂でカエルが飛び跳ねているのを見た王様と女王様は、彼女に質問を浴びせました。プリンセスは何が起こったかを話しました。王様と女王様は、「約束を守って、ぬるぬるした醜い生き物と仲良くしなさい」とアドバイスしました。

プリンセスは言うは易く行うは難しと思いました。この相手は好きではないが、彼女は約束をしたし、両親はその言葉を忠実に守らなければならないと言いました。一方、このカエルにはそれなりの葛藤がありました。プリンセスは知らないのですが、カエルは呪いをかけられたハンサムで善良な王子でした。明らかに、カエルである自分の姿を非常に気にしていました。プリンセスはとても美しく、自分は人間と話すことができる湿った両生類に過ぎなかったのです。呪いを解くためには、友達になる必要がありました。しかし、それはあり得ないことのように思えたので、緊張していました。

プリンセスは丸三日間、本を読んだり、ピアノを弾いたり、庭を散歩したり、食事をしたり、会話をしたりと、自分の私生活にカエルを参加させました。最初、プリンセスは、この臭くて湿った動物に興味がなく、そっけない態度をとっていました。しかし、交流を重ねるうちに、カエルが特別な存在であることに気づき、好きになっていったのです。プリンセスは人間で、カエルは両生類でしたが、その違いにもかかわらず、興味深い絆が生まれました。遊んだり話したりしているうちに、プリンセスはカエルとして生きることがどのようなものかを知り、それがとても魅力的になりました。カエルの方も、プリンセスに気兼ねすることなく、リラックスして一緒に楽しむことができました。

三日間が過ぎた頃、プリンセスは時間が過ぎたことを悟り、カエルは庭の池に帰ることになりました。プリンセスは泣き出し、カエルに彼との友情がどれほど重要であるかを伝えました。プリンセスは、カエルがずっと友達でいてくれるように頼みました。プリンセスは両手で顔を覆って泣きじゃくりました。突然、不思議なことが起こりました。プリンセスが頭を上げると、目の前にハンサムな王子様がいたのです。カエルは姿を消し、代わりにこの優しい青年が現れたのです。王子はお礼を言い、自分は人間に受け入れられるまでカエルとして生きる呪いをかけられていたことを説明しました。やがて、この幸運な二人の若者は、王室の結婚式を挙げ、幸せに暮らしたのでした。

現実化する

この物語では、カエルは拒絶されることへの恐怖を克服しなければならず、プリンセスはカエルのぬるぬるした醜い外見を超えて、本当の良さを理解しなければなりませんでした。お互いを知るにつれ、二人は親しい友人になっていきます。カエルとプリンセスの関係は、最初は障害がありましたが、一緒に過ごしてお互いに興味を持つことで、乗り越えていくのです。

結婚もこのような形で始まることもありますが、新婚のカッ プルは愛に溢れていて、配偶者のすべてが素晴らしいと思えることの方が多いのです。一見気にかかる習慣も、最初のうちはかわいいものです。時間が経つにつれ、夫婦はそのバラ色の眼鏡を外し、お互いの欠点が驚くほどはっきりと見えるようになります。汚れた靴下が床に落ちていたり、トイレの便座が閉まっていなかったり、その他の習慣やマナーは許容範囲を超えてしまいます。かつては無害だと思われていたものが、時間が経つにつれ、苦痛を感じるようになります。

夫婦が年齢を重ねるにつれ、シワや白髪などの身体的変化によって、批判的になったり、自意識過剰になったりするのは当然のことです。しかし、夫婦が「愛は盲目」というモットーで生きていれば、夫も妻もお互いに魅力的になり、愛が深まります。

神様は、私たちがバラ色の眼鏡を外さないことを願っています。愛は成長するものであり、時間とともに良くなるものであり、決して衰えるものではありません。夫婦の関係は、真の愛をもって、新たな挑戦に立ち向かうことで、より強固なものになっていくのです。どんな結婚生活にも山あり谷ありですが、愛の目でお互いを見つめれば、どんなことにも耐えられます。使徒パウロの言葉を紹介します。

「愛は忍耐強く、愛は親切です。ねたみもせず、自慢もせず、高慢でもありません。無礼ではなく、利己的ではなく、すぐに怒らず、悪事を記録しません。愛は悪を喜ばず、真理を喜びます。常に守り、常に信頼し、常に望み、常に忍耐します。」（コリント13章4節ー7節新国際版）

考察点·アクティビティ

- 神様はあなたを見るとき、何を見ていると思いますか？
- この章を他の人と一緒に読んで、隣の人の中に見えるものを順番に話してみましょう。
- あなたは物語の中のプリンセスやカエルのように感じたことがありますか？あなたの経験を述べてみてください。

愛を名詞ではなく動詞にする

韓国語をはじめとするいくつかの言語では、「愛」という言葉は、相手に対する自分の気持ちを表現する非常に重要な言葉です。英語では、さまざまな経験を表現するのに「愛」という言葉を使います。例えばアイスクリームや美味しい食べ物を愛するとか、映画に行くのを愛するとか、海辺を歩くのを愛するとか等です。また、友人や家族に対する気持ちも同じ言葉で表現します。そして、夫と妻だけに与えられた特別な愛もあります。夫婦生活での愛の言葉には、いろいろな意味があります。私たちが配偶者に「愛しています」と言うとき、それが思いやりのある行動や奉仕と共に表現されると、より大きな意味を持つことになります。

真のお父様のみ言

150. 「夫婦の愛の営みは、自然からだけでなく、他人や様々な場所での経験からも学ぶことができます。大事なのは、学んだことを配偶者のために使わなければなりません。二人が一つになろうと努力することによって、夫婦は最高の愛の状態に至り、最も素晴らしい生命を授かり、真の血統を守り、良心を保つことができるのです。夫婦生活を芸術作品にする第一の目的は、血統を守ることです。祝福結婚によって、みなさんの血統はサタンの血統から神様の血統へと回復しました。次に重要なのは、回復した血統をいかにして維持し、守るかということです」（2009. 1. 1）

151. 「男性の心の中には神様が愛される女性がいて、女性の心の中には神様が愛される男性がいて、共にたたえるようになる時には神様もそれを見て喜ばれるので、万物も互いに喜ぶようになります。彼らが抱擁する喜びの内容が、天と地と共に喜ぶ価値になります。男性と女性が互いに好んで抱擁するそれ自体が、宇宙が一体を成す立場になります。神様の理想の中で成される創造本然の姿が、そうです。」（1985）

152. 「最高に好きなメロディーとは何かと言えば、男性と女性が互いに好きで喜ぶ夫婦の笑い声なのです。そのような夫婦がこの世を抱くことができ、宇宙全体を受け入れることのできる心で生活を営む時、そのほほえみは自然に発生します。そのような夫婦の美しい姿が、神様の前に一束の花でなくて何でしょうか。これは単純な理想や抽象ではありません。本来の世界のことを言っているだけです」(1995)

153. 「愛する夫婦間の対話を見れば、この世のどのような詩や絵画よりも美しいのです。また『愛する者同士』、『二人っきり』、『私たち二人』という言葉が、どれほど美しく素晴らしい言葉でしょうか」。(1995)

154. 「妻の目には夫が最高であり、一番に見えなければなりません。夫の目にも妻がそのように見えなければならないのです。初恋で結ばれた縁が最高の縁です。人が何をいおうと最高です。このようなものは何億上げても買うことができないのです。このような世界を自分が永遠にもつことができるなら、どれほど素晴らしいことでしょうか。すべての人がその程度にはならなければならないというのです。妻は夫によく従い、よく助けなければなりません。そのようなことが、文学作品や映画の一場面にだけ現れてはいけません」(1969.5.1)

155. 「愛は投入から始まります。真の愛は、与えようとする運動から始まったというのです。宇宙は、そのような法度と内容の原則に従って動くにもかかわらず、受けようとするのは宇宙に逆らい、背く行動です」（1991.8.29）

156. 「男性と女性の生殖器官は、神様の愛を所有することができる極です。プラス極とマイナス極です。電池の充電点です。これがなければ、神様の愛が充電できません。人間のその器官を通じて愛を満たそうとすれば、人間は毎日のように愛を満たすことができます」（1985.7.20）

真のお父様のみ言に対する感想

真のお父様は、夫と妻に、愛の営みの技術と男女の違いについて、できる限り学ぶことを勧めています。その先生は、自然であったり、人であったり、本であったり、その他の情報であったりします。性に関するすべての情報が健全であるとは限りませんので、幸福な愛の営みを教えてくれる信頼できる情報源からの指導に従うことが大切です。大切なのは、学んだことを配偶者を喜ばせるために活用することです。

愛は与えることから始まります。そうすることで、天国のような結婚生活と家庭を築き、私たちの血統を守ることができるのです。神様に愛された息子と娘が、お互いの心の中に住み、お互いを大切にすることで、天国は喜びます。配偶者は、自分の夫や妻が人々から最高であり一番だと思われることを願っています。そのような夫婦が世界を受け入れる心を持つとき、彼らのロマンチックなささやきや笑い声が神様への喜びの音となります。

現実化する

男女の違いについて書かれた多くの資料は、夫婦がお互いに愛し合うための特別で無限の方法を見出すのに役立ちます。また、「エナジャイズ·リトリート」(注[13]) や「マリッジコース」(注[14]) のような結婚生活を豊かにするためのプログラムでは、夫と妻の間の性的な親密さや対立解決に関するトピックなどを提供し教育しています。すべての女性と男性は神様のユニークな表現であるため、私たち全員が生涯にわたって配偶者の生徒であることが重要です。どうしたら配偶者を愛する達人になれるのでしょうか?

夫婦がお互いに思いやりのある行動を一貫して行うと、肯定されている、愛されていると感じることができます。お互いのために時間を割き、相手を称賛し、関心を示すことで、特に生活に困難が来た時などに、愛情と安心感が育まれます。夫婦ともに、肉体的や環境的な原因によって、ストレスや不安からの影響を受けることがあ

---

13. (注)　詳細はhighnoon.org のウェブサイトでご覧いただけます。

14. (注) マリッジコースでは、夫婦のコミュニケーションを改善し、結婚生活の輝きを保つための教材を提供します。

ります。このような場合、パートナーには特別なケアや忍耐、サポートが必要となります。深い絆で結ばれている夫婦は、お互いの気分の変化に気付き、相手が必要としているものを提供することができます。配偶者を理解し、感謝することに時間と労力を費やすことで、彼らの希望、夢、恐怖、好き嫌い、情熱を把握することができるようになります。これらのことは、配偶者の心に触れ愛を感じるようになります。私たちは、配偶者が喜ぶ方法で愛情を表現することを習慣化することによって、配偶者を神様のユニークな子供として愛する博士号を取得することができます。

一緒に暮らす

違いを認め合い、お互いの必要性を満たす方法を学ぶことは、結婚生活を成功させるための大きな要素です。最初は妥協するように感じるかもしれませんが、そうではありません。神様の設計は、男性性相と女性性相が一つになったとき、単に二つのものを合計した以上のものが、生み出されるのです。

どのような結婚生活でも、片方のパートナーが愛の行為をしたいと思っていても、もう片方がそうでない場合があります。性欲の異なるカップルは、どのようにして愛を表現するのでしょうか。2004年7月13日、韓国の清平（注[15]）修練苑で行われた四十日間のワークショップで、大母様が性生活について祝福結婚を受けた女性たちに向けて語りました。

「神様は愛の行為について、『思いっきり遊びなさい』『愛の行為をすればするほど、より大きな喜びとより美しい美が出てくる』と述べています。男女がお互いに美しい愛を与え、そして受けることで、二人の間には離れることのない心の絆が生まれます。セックスという行為は、感情的な絆を生み出します。感情的な絆がすでに形成されているから性行為をするではありません。逆に考えてはいけません。『私は愛を感じないから、どうやって夫と性行為をするのだろう』と言ってはいけません。愛する心を育みながら、性の行為をするのです。そうすれば、男性と女性は心を育てながら心と体が一つになることができます。そうすれば、家族は幸せになります。そのように行動すれば、妻も夫も不満を感じることはありませ

15.（注）大母様というのは、真のお母様の母である洪順愛女史（1913～1989年）に与えられた称号です。

ん。　」(注[16])

大母様は、配偶者と愛を交わせば交わすほど、喜びと美しさが生まれると教えています。そのためには、できるだけ多くの遊び心を持つことが大切だと言います。愛を感じるまで待つことはありません。愛する心を育みながら、性行為をすることで、離れることのない心の絆が生まれるのです。

配偶者の自然のリズムやサイクルに敏感になると、相手がストレスを感じていたり、疲れていたり、不満に感じていたりするサインを察することができます。このような時には、相手が何を必要としているのかに注目し、思いやりを持って投入します。家事を手伝ってあげたり、マッサージをしてあげたり、時間を作ってあげたりするのです。夫婦の間に真の愛と思いやりという土台があってこそ、セックスという行為が夫婦の間に最も深い感情的な絆を生み出します。このようにして、愛を動詞にするのです。

真のご父母様はよく、人のために生きることの有益性について語られます。これは特に結婚生活において言えます。夫と妻は、あらゆる面でお互いの幸せのために生きることを学ばなければなりません。

天国、地獄、そして箸

古代中国では、大人が子供にこの禅に関するたとえ話をして、食卓では常に人のために仕えることを教えていたそうです。このたとえ話は、子供たちが共同の食器から食べ物を取り、年長者の皿に置くことで、敬意を表すことを奨励しています。

昔々、人里離れた山の中にあるお寺に、老僧と若い僧侶の二人が住んでいました。ある日、若い僧侶が老僧に「天国と地獄の違いは何ですか？」と尋ねました。

老僧は「物質的な違いはありません」と穏やかに答えました。

「全く違いはないのですか？」 混乱した若い僧侶は尋ねました。

「天国も地獄も同じように見えます。食堂があって、真ん中に大きな鍋があり、そこに美味しそうな麺が茹でられていて、食欲をそそる香りがしています」と老僧は言いました。「鍋の大きさも、鍋の周りに座る人の数も、どちらも同じです。しかし、不思議なこと

16. (注) (増田義彦『真の愛、性、そして健康。真の父母様のみ言に導かれて』P. 131（加平：清心神学大学院出版局、2009年))

に、一人一人に1メートルの長さの箸が与えられ、それを使って麺を食べなければなりません。そして、麺を食べるためには、箸の先をきちんと持っていなければならず、不正は許されません」。

「地獄の場合、どんなに頑張っても麺を口に入れることはできず、人々はいつも飢えています。」と老僧は答えました。

「でも、天国にいる人たちは同じことは起こらないのですか？」

「天国にいる人たちが食べることができるのは、お互いが向かい合って座っている人に食べさせているからです。

それが天国と地獄の違いです。」と説明しました。

中国人は、社交的な食事の場では、何も考えずに他人にサービスを提供し、時には中国人以外の客に不思議がられることもあります。それは彼らにとって自然なことなのです。これが神様の計画した結婚です。輝かしい結婚生活では、夫と妻は喜びをもって自発的にお互いに奉仕します。夫婦が愛をもってお互いのために生きるとき、奉仕は強制的な行為ではなく、喜びに満ちた自発的な愛の表現となるのです。

考察点·アクティビティ

- 真のお父様が結婚における性行為の重要性を強調されていることについて、どのように感じますか？
- なぜ神様は男性と女性をこんなにも違った形に作られたのだと思いますか？
- 気持ちが乗らないのに誰かに奉仕した時、奉仕したことに感謝した事がありますか？

霊界と夫婦の愛

亡くなった後の霊界の生活はどのようであるか考えたことはありますか？　愛する人を見分けることができるでしょうか？（注[17]）配偶者と一緒になることはできるのでしょうか？一緒に何をするのでしょうか？愛することについてはどうでしょうか？正に、霊界でのセックスは想像以上のものでしょう。これらはすべて、真のお父様が若い頃に抱いた疑問でした。真のお父様は、深い祈りと霊界探索によって隠された真理を明らかにするため探求をされました。

真のお父様のみ言

157.「天国に行くとき、結婚式をするように礼服を着て入っていき、神様のみ前に愛の挨拶をします。神様のみ前で夫婦が愛するのです。そこで愛すれば、神様御自身が喜びと同時に縦的な立場で包み込み、横的な夫婦ばかりでなく、宇宙全体の感情が入ってきて酔いしれるようにするのです。想像もできない仕掛けが施された世界に入っていくのです。愛するようになれば、見えない二つの力が訪れてきて、すべて一つになって光の世界に同化されるという、驚くべきことが起こります。真の愛がなければ、そのような生活にはなりません」（1998. 9. 23）

158.「 地上で祝福を受けた夫婦は、永遠の世界である霊界に行っても一緒にいます。この世の中の夫婦、息子、娘がいかに多くても、霊界に行けば、分かれてばらばらになります。分かれて、みなどこに行ったのかも分からないというのです。相

17.（注）統一教会の信仰共同体では、この世の命から霊界の永遠の命に移ることを祝うために、「死」という言葉の代わりに「聖和」という言葉を使います。

対的な関係がなければ会うこともできません。心霊状態の基準によって、みな霊界で分かれるというのです。しかし、先生が語ったように、愛を中心として一つになれば、そのまま一族が霊界に入っていくというのです」（1993. 10. 15）

159. 「私たちは、愛によって生まれ、愛によって生きなければならず、愛の世界に向かって死ななければなりません。死は恐ろしいものではありません。死はお嫁に行くのと同じです。移動するのです。制限された人間の愛、抜け出ることのできない愛の限界圏から、時空を超越した無限の世界に移っていくのです。無限の世界に跳躍するというのです」（1988. 6. 8）

160. 「夫婦が互いに愛し合うことにおいて、いつまで愛し合うのかと尋ねるとき、若いときだけ愛するというなら、気分がいいでしょうか、悪いでしょうか。いつまで愛することを願うでしょうか。『永遠に』とも言いますが、死ぬときまで、その次に永遠に愛することを望むというのです。永遠は未来を中心として、全体をいうのです。死ぬときまで愛するということは、自分のすべてのものを根こそぎ与え、愛するということです。そうでしょう。『永遠に』は全体的であり、『死ぬとき』まではすべて愛するということです。そうしてこそ、相対が喜ぶのです」（1970. 12. 22）

161. 「男性にとって最も刺激的で、神経的で、敏感なところとはどこですか。舌ですか。味を見るのにいくら敏感だとしても、生殖器以上に敏感なものはありません。それでは、舌を満足させるために、一度食べればその翌日また食べたいと思いますが、生殖器を満足させられる相対がいれば、考えただけでもその満足を感じることができる世界になるというのです。味を見るのは食べなければ感じることができませんが、愛の相対は考えるだけで感じることができるのです。千里、万里、無限空間世界を超えて喜びを感じることができるのは、死んでもまた生き返って愛したいのは、愛する妻、夫の愛しかない、そうですか、そうではありませんか」。（1997. 8. 13）

162. 「皆さんが夫婦関係をするのを神様が見ないと思いますか。公開的なのです。これは宇宙的に公開するのです。それを知らないということは大きな間違いです。皆さんの先祖がすべて見ているというのです。霊界でも、すぐ目の前に見えます。手のひらに立ってするかのように、すべて見えるのです。ですから、それを恥ずかしいと考えれば大きな間違いです」。(1993. 10. 15)

163. 「自分にとって最も貴いものとは何ですか。自分の国よりも、自分の理想的家庭よりもこれ (生殖器) が貴いのです。これがなければ、自らの家庭も成立せず、民族も成立せず、国も成立しないのです。これが一つにならなくては、絶対に永遠の生命にならないのです。地上世界の版図を越えていける、天上世界、無限な世界へ越えていける生命圏は、生まれることができないのです。地上にも天国がなく、天上にも天国がないというのです」(1999. 1. 1)

164. 「夫や妻が霊界に行こうとするとき、完全にプライベートな時間と場所を持つことは良いことです。自分たちの愛の関係を振り返ってみると、妻や夫は、愛と生命と血統の宮である死にかけた相対者の生殖器を、濡れたタオルできれいにするかもしれません。そして、妻や夫は、その生殖器に優しくお別れのキスします。そして、妻や夫は、死にかけた相対者に自分の生殖器を触らせて、夫婦としての絶対、唯一、不変、永遠な愛の関係を確認するのです。これは絶対にしなければならないことではありませんが、できればこのようにして相対者を霊界に送ることが望ましいのです」(2000. 12. 7)

真のお父様のみ言に対する感想

ほとんどの結婚誓約書には、夫と妻が「死が二人を分かつまで」愛し合うと書かれています。真のお父様は、神様は祝福夫婦が永遠に共にいることを意図とされたと説明されています。真のお父様は、死とは私たちの人生の第三の最終段階である永遠なる霊的領域への昇天であると語られています。祝福カップルが愛を中心に一つになれば、家族全員が霊界で一緒に暮らすことができます。ですから、死は恐れることではありません。それどころか、夫婦は永遠に続く愛を楽しむことができるのです。

真のお父様は、霊界は夫婦の愛が無限で永遠に続く世界であると教えておられます。愛の行為をするときにも自分を隠す必要はありません。霊界で夫婦が愛し合っているのを見たり聞いたりすると、人々はその光景の美しさと健全さに畏敬の念を抱きます。それは恥ずかしいことでもなんでもなく、神様とそれを見るすべての人に最高の喜びをもたらします。人々は、愛は永遠に続くものだと自然に信じていますが、実際にそうなのです。

現実化する

神様は、死後の夫婦生活を含め、性器や夫婦愛についての真実を明らかにするために、絶え間ない努力をされています。2,000年前、イエスは地上界と霊界の関係について語りました。「あなたが地上でつなぐことは、天でもつながれ、あなたが地上で解くことは天でも解かれるであろう」と言って、それをうまくまとめたのです。科学者であり、神秘主義者であり、キリスト教神学者でもあるエマニュエル·スウェデンボルグ（1688–1772）は、『天国と地獄』（1758年）の本で知られていますが、その中で、霊界に行って、地上での夫婦愛の経験と死後の世界との間に相関関係があることを発見しました。

最後に、真のお父様とその弟子であり、『霊界の実相と地上生活』の著者である李相軒博士（1913–1997）は、地上で結婚の祝福を受けた夫婦が霊界でも一緒にいて、(注[18]) 永遠に愛を育んでいくことを明確にしました。

死後の世界は目に見えないのでなかなか信じられず、李博士やスウェーデンボルグのように霊界に行く機会を与えられた人たちの体験に頼ることになります。人は誰でも、無限の愛の領域に飛び込みたい、そしてその愛には終わりがないことを望んでいます。愛する天の父母様は、叶わないような大切な望みを私たちに与えることはありませんからこのことに確信が持てます。

祝福カップルは霊界でセックスを楽しむのですか？

李相軒博士は昇天後、Y·S·キム夫人と霊通して、彼女に死後の世界での体験を語られました。真のお父様は、李相軒博士の霊界の表現は「ほぼ正しい」とおっしゃいました。真軒博士の本は毎日の訓読会の

18.（注）李相軒,『霊界の実相と地上生活 - 李相軒先生が霊界から送ったメッセージ』(ニューヨーク: 世界平和統一家庭連合, 1998年).

一部として学ばれています。霊界での夫婦愛について、李博士は次のように述べています。

「肉的愛とは、男女が性的に結ばれる愛を言います。地上では、肉体が互いにあって愛し合い、ぶつかりながら感性を感じます。しかし、霊界で二人の男女がどのように愛するかということは、地上ではよく理解できないでしょう。ここ天国で神様に近い高級な人間同士でなされる肉的愛は、まるで一枚の絵のようです。二人が互いに愛するとき、二人の体は完全に一体となるので、地上で愛として感じるような感性とは異なり、霊肉ともに完全な愛を感じるようになります。それは無我の境地で有を創造するような、すなわち神秘の世界に接するような感性です。また、互いに愛するその場面を目で見ることもできます。地上での夫婦は、主に居間や寝室で愛し合います。しかし霊界の天国では、明らかにそうではありません。。居間だけで愛するような隠された愛ではありません。広い野原で花が満開の中でも愛し、美しい大地の上でも，　砕ける波の上でも愛の行為をします。鳥たちが歌う山の中、森の中でも愛します。それを見る者も、あまりに美しくて酔うようになります。地上でのように、見苦しいとか、恥ずかしいというような感情を感じず、美しく感じられ、平穏な心で見るのです。」李先生が霊界の「体」について語るとき、それは私たちの霊的な体のことであり、真のお父様はそれは私たちの肉体の鏡像であると教えられています。地上で与えた愛は霊体に記録され、永遠の世界で人生の最終局面を迎えるとき、それだけを携えていくのです。ですから真の父母様は、祝福された夫婦が生前に心から愛し合うことの重要性を強調されるのです。愛を中心として一つになれば、家族全員が霊界に共に住むことができるのです。

考察点·アクティビティ

- 霊界で祝福夫婦として永遠に生きるために地上で生きている間に準備すべき一番いい方法は何だと思いますか？
- 李博士の霊界での夫婦の愛の説明を聞いて、どのように感じましたか？
- 霊界での夫婦の体験を描いた映画「奇蹟の輝き」の鑑賞を検討してみてはいかがでしょうか。

第四章
絶対「性」

絶対「性」とは？

現在、世界ではセックスに関して大きな混乱が生じています。明確な基準がないのです。人々は本性の欲求に従うことで幸せを求めますが、多くの場合、失望したり傷ついたりします。何が正しいのかを見極めるのは難しく、理解できないことに立ち向かうのはもっと難しいことです。真のお父様は、夫婦間の性的関係に対する神様の絶対的な理想を明確にするために、「絶対性」という特異な表現を作られました。この言葉は、最初は少し分かりにくいかもしれません。あなたは、この言葉を聞いて、どのようなことを思い浮かべますか？普通「絶対」と「性」は一緒に使われることはなく、これを、乱れた性的空想、またはすべての抑制を捨て去ることを意味すると考えるかもしれません。これは真のお父様が伝えたかった事とは正反対です。あなたは、性に関して「絶対」という言葉を聞いて、何を思い浮かべますか？

真のお父様のみ言

165. 「天国の終着点は、真の家庭の完成です。真の家庭の中には、真の国があり、真の世界がなければなりません。真の世界と真の国に影響を及ぼすことができる真の愛の伝統として、「絶対」「性」という言葉が出てきます。「絶対」「性」とは、絶対、唯一、不変、永遠の性をいいます。神様の属性である愛を中心として連結された対象的なパートナーと、そのような観点において愛で一体化するのは、すべて性関係によって結ばれるのです」（1997. 3. 9）。

166. 「絶対「性」が重要です。それは何を意味するでしょうか？人は、神様が父の中の父であることを骨の髄まで感じながらも、神様が苦しんでおられることを知らずに生きてきました。歴史を通しても、そのことを想像すらできなかったのです。これは間違ったことです。それでは、この事実を知った私たちの責任はどれほど大きいでしょうか。天と地が一つになり、神様が主人として、父としての役割を果たせるようにしなければなりません。このような基準を果たさなければなりません。天が定めたこの基準は、絶対「性」から始まるのです」（2007. 3. 7）

167. 「皆様は今、絶対的な純潔の生殖器、唯一の生殖器、不変の生殖器、永遠の生殖器を中心として、これを基盤として神様を求めるようお願いします。この基盤が真の愛の基盤、真の生命の基盤、真の血統の基盤、良心の基盤にならなければならず、ここから正に地上天国と天上天国が生じることを理解されなければなりません」（1996. 9. 15）

168. 「天地父母の天宙安息圏の（注[19]）重要な特徴とは何でしょうか？「絶対性」。これから、　絶対「性」は　私たちが特許を取得している専門用語です。天地から公認された人、天地に住んでいる人はみな、天地父母の天宙安息圏に属しています。この圏内に入るための第一の絶対条件は、絶対「性」の倫理であり、この圏外にいる人はいません...。しかしながら、人間はすべての創造物の主として、この最も貴重な天からの贈り物を、自分たちのためだけに使うものとして考えてきました。自分の好きなように解釈し、利用し、悪用してきたのです。その結果、様々な偽りが生じたのです。この事実を知っているがゆえに、歴史は完全に基礎を整える方向に向かうことが急務なのです」。（2009. 1. 2）

169. 「私たちは、絶対「性」、真の愛、真の生命に続く真の血統を必要としています。真の血統は、真の愛と真の生命が一つになる絶対「性」を中心としています。これが真の血統を作る唯一の方法です。真の血統が作られなければ、性の領域が汚れた、つまり汚れた血統になるのです」。（2009. 1. 2）

170. 「生殖器は解放されなければなりません。このように、絶対「性」は、現代のフリーセックスとは正反対のものです。そ

19. （注）「宇宙の安息日は、天と地を代表する宇宙レベルで成し遂げられた神様の理想的な創造物であります」。

れは、絶対、唯一、不変、永遠なセックスです。この四つの概念は、なんと高貴なものでしょうか。二つの生殖器がそのまま別々になっていては、発展はありません。真の愛に根ざしていなければなりません。真の愛はそこから始まります」（1996. 9. 8）

171. 「もし、アダムとエバが十六歳か十七歳くらいの思春期に堕落せずに、神の愛で一つとなっていたならば、二人の心と体は絶対に分裂しなかったはずです。完全な人生と完全な愛で、アダムとエバは真の環境で生きる真の男性と真の女性になっていたはずです。堕落した後、アダムとエバはその位置に立ちたいという期待感をいつも持っていました。堕落した後も、アダムとエバは、「あの位置に立ってみたい」という期待感を持ち続け、本来の位置に立ち、考え、生き、愛することを生涯求め続けました。そして、彼らの子供にもその世界で生きてほしいと願ったのです」（1997）

172. 「 人間を見れば、人体は五宮をもっています。人間は誰でも五宮の認識によって、真の愛を感じ、確認するようになっています。目が真の愛に向かっているなら、その目は真の愛に染まって酔うようになっています。酔った瞳の色はどれほど美しく光るでしょうか。唇が真の愛に溺れているなら、ほほえむその唇はどれほど恍惚としたものか、考えてごらんなさい。人間の五官が真の愛に酔って動く姿、神様に向かって動く五宮の調和がどれほど美しいだろうかと想像してごらんなさい。そのような美しさを通した喜びは、神様お一人では体験することができないのです。そのような美しさは相手がいてこそ体験するようになるので、神様が人間を創造された目的でもあるのです」。（1997）

173. 「絶対「性」を　守らなければならないとわかっていても、性関係の乱れを正さなければ、必然的に失敗に終わってしまいます。理想世界を求め生きるためには、この鉄則を守らなければならないのです」（2009. 1. 2）

真のお父様のみ言に対する感想

真のお父様は、神様が理想とする結婚の性関係を　絶対「性」　という言葉で表現されました。絶対「性」を　体恤している夫と妻は、お互いに情熱的に惹かれ合います。それぞれが相手のために喜んで生きます。真のお父様は、この言葉を、永遠、唯一、不変のセックスと組み合わせます。このようにセックスを考えると、人生のパートナーと共有する愛の質が高まります。夫婦の心が完全に一つになるには五感のすべてを使って陶酔して愛の交わりをする以外にありません。絶対「性」の圏域で生きることは、神様を結婚生活に招き入れ、神様の真の血統を継承するための基礎を築くことになります。

世界平和統一家庭連合（FFWPU）の元北米大陸責任者であるパク·ジュンヒョン牧師は、1997年2月1日、ニューヨーク州テリータウンのベルベディアエステートで、真のお父様の絶対「性」に関する教えに基づく説教を行いました。

「私たちは今、絶対「性」がプロセックス、プライドの高いセックス、ポジティブなセックス、純粋なセックス、一夫一婦制のセックス、そして喜びに満ちた幸せなセックスであることを理解しています。私たちは真のご父母様に感謝しなければなりません。真のご父母様がこの最も深い秘密を明らかにしてくださらなければ、私たちはそれを探し出すことはできずに盲目でした。今、私たちは創造目的が分かります。とても解放されました。」

絶対「性」を経験しているカップルは、喜びと情熱をもってお互いの求めることや欲求を満たしています。絶対的なカップルは、愛に満ちた輝きを放つ関係を築いています。彼らが行くところには天国が作られます。アダムとエバが自己中心的な愛の誘惑に打ち勝っていれば、このような質の高い夫婦愛を楽しむことができたはずです。世界は理想的な結婚の例を見たことがないので、絶対「性」の意味や、感覚を理解することが難かしかったのです。真の父母様は、初めて絶対的な夫婦の姿になられ、このような愛の質を自身の結婚生活で実現する方法を教えてくださいました。

アバター

2009年に公開されたアカデミー賞受賞映画「アバター」は、驚異的な成功を収めました。地球に似た遠い月、パンドラに住むナヴィ族は、青い肌を持ち、高度に進化したヒューマノイドで、自然環境と完全に調和して暮らしています。映画では、浮遊するハレルヤ山脈のような興味深い地形や、生態系のバランスをとるための美しい植物の数々が描かれています。例えば、大気を守るために有毒ガスを集めて蓄えるパフボールツリーや生物発光する熱帯雨林など、健全な自然環境には必要なものばかりです。このような場所に住みたいと思わない人はいないでしょう。

しかし、映画館を後にした視聴者は、それが実現不可能なユートピアの夢であることに気づくでしょう。映画の感想には、地球上の生活がパンドラの世界とは似ても似つかぬものであることへの失望から、うつ病を発症した人々の書き込みがありました。健康的で美しい場所で暮らしたいという強い思いから、映画のことを忘れることができずそのような生活を夢見てしまうのです。

現実化する

パンドラは、絶対「性」理想に匹敵する美しさと不思議さを持った場所です。絶対「性」の世界に思いを馳せると、アバターファンが経験したような憧れの気持ちが湧いてくるかもしれません。完璧な親密さは、どんなに努力しても手の届かないところにあるのかもしれません。愛とつながりの陶酔的な関係を求める気持ちは、神様が私たちに与えたものです。神様は、夫と妻が親密さに満ちた人生を経験することを望んでおられます。

夫婦の状況はそれぞれ異なるので、自分たちの結婚生活を他の人と比較してはいけません。かつてのような親密さを感じられなくなったカップルには様々な理由があり、中には努力することをあきらめた人もいます。お互い二人が一度も魅力を、感じられなかったのかもしれません。お互いに性的な親密さに酔いたいと思っていても、どこから二人の間の距離を埋めればいいのかわからないのです。どのようなステップを踏めばよいのでしょうか？

まずは、自分達の位置が理想から見てどこにあるのかを素直に認め、前に進むための計画を立てることです。中国のことわざに「千里の道も一歩から」というのがあります。多くのカップルは、オープンエンドの会話が、お互いの新たな品性を見出す素晴らしい出発点だということを発見しています。性的ではない触れ合いで愛情を示すことで、より深い愛情を求める心が少しずつ開いていきます。夫婦の間に信頼と親密さを育むための一歩を踏み出せば、真のご父母様のビジョンである絶対「性」がより実現可能なものになってきます。

二人の関係のために投資し努力するという夫婦は、生涯にわたる冒険を始めます。すぐには絶対「性」の領域に到達できないかもしれませんが、その旅はとても楽しく、興奮するものになるでしょう。神様は、私たちが配偶者との喜びに満ちた健康的な親密さを通して絶対「性」を楽しみ、それが霊的な領域で永遠に成長していくことを意図されました。

考察点·アクティビティ

- あなた自身の言葉で絶対「性」とは何かを説明してください。
- 絶対「性」を体験することは可能だと思いますか？それはどのように感じますか？
- 配偶者と絶対「性」を経験するために、あなたにできるステップをシェアしてください。またはそのような関係に備えるために、どうしたらよいと思いますか？
- 家族や友人と一緒にアバターを見る時間をとってください。

絶対純潔

堕落する前のアダムとエバはどのようなものだったのだろうと考えたことはありますか？聖書によると、彼らは全裸であっても恥じることはありませんでした。想像するのは難しいですよね。現代の世界では、色欲や恥から自由になる心を保つことが難しくなっています。看板、インターネット、テレビなど、どこにでも挑発的なイメージがあふれています。真のお父様は、世界を神の本来の基準に戻したいと願っておられます。しかし、このギャップをどうやって埋めるのでしょうか？私たちの暴走する考えを抑制する唯一の方法は、自分自身と愛する人たちを守るために、生活の中に制限を設けることです。この境界線を効果的に使うことで、私たちは安全に、そして目標に向かって進むことができるのです。

真のお父様のみ言

174. 「私は絶対「性」に対する信念が、自分の純潔を守るための最良の方法であると教えてきました。つまり、一度相対者と愛の絆を結ぶのならば、それは永遠であり、どんな状況であっても変わることのない絶対的な愛の関係であるということです。それは、夫と妻が永遠で絶対的な神の愛を中心にして結ばれるからです。これは、男性だけに強調されるものでも、女性だけに適用されるものでもありません。男生も女性も同じ天道の道を絶対に守らなければならないのです。(1997. 11. 30)

175. 「貞節と純潔は最高の美徳です。それらは、咲く前の花のようなものです。香りは内に秘められています。だから、結婚という神聖な祝福を享受する前に、あなたは花のようにしっ

かりと閉じた状態で自分の奥深くに香りを秘めていなければなりません」。(1975)

176. 「皆様、絶対「性」は、このように天が人間に賦与された最高の祝福です。絶対「性」の基準を固守しなければ、人格完成、すなわち完成人間の道が不可能だからです」(2006. 11. 21)

177. 「神様が人間始祖のアダムとエバを創造して与えてくださった唯一の戒めは何だったでしょうか。天が許諾する時になるまでは、お互いの「性」を絶対的基準で守りなさいという戒めであり、祝福でした。善悪の実を取って食べれば必ず死に、取って食べずに天の戒めを守れば、人格完成はもちろん、創造主であられる神様と同等な共同創造主の隊列に立つようになり、さらには、万物を主管し、永遠で理想的な幸福を謳歌する宇宙の主人になるという聖書のみ言は、正にこの点を踏まえて語ったことです。婚前純潔を守り、真の子女として天の祝福のもとで結婚をして真の夫婦となり、真の子女を生んで真の父母になりなさいという祝福だったのです。これは、神様の創造原則である絶対「性」を離れてなされるものではないという事実を、確認させてくれる内容です。すなわち、神様のこの戒めの中には、人間が歴史を通して神様の子女として個性を完成し、万物の主管位に立つためには、神様の創造理想のモデルとしての「性」を相続しなければならないという、深い意味が隠されていたのです」(1991. 2. 21)

178. 「第一段階は、結婚前の絶対的な性的純潔の維持です。人は生まれてから成長する過程を経ています。両親の愛情に包まれた安全な環境の中で、乳幼児期、児童期を過ごします。その後、思春期に入り、周囲の人々や被造物と全く新しいレベルの関係を築きながら、新しいダイナミックな人生を歩み始めます。内面的には人格の完成、外面的には大人になることで、絶対的な人間への道を歩み始める時期です。しかし、この時期には、どんな人であっても絶対に満たさなければならない条件があります。それは、人間の絶対的な性道徳の模範である「純潔」を保つことです。神はこれを、創造の理想を実現するために遂行すべき運命の責任と義務として、神の子らに与えたのです。この天国の道は、夫婦愛にお

ける絶対「性」のモデルを完成させるための道なのです」。(2006. 11. 21)

179. 「第二には、夫婦間において、生命よりも貴く守るべきモデルとしての絶対「性」、すなわち絶対貞節の天法です。夫婦は、天が定めてくださった永遠の伴侶として子女を生むことにより、真の愛、真の生命、真の血統を創造する共同創造主の絶対、唯一、不変、永遠性の本源地なのです。独りでは、千年を生きても子女を生むことができないというのが天理だからです。婚前純潔を守り、純粋な天の夫婦として結ばれた人たちが、どうして天道を外れて浮気をすることができるでしょうか。動物とは異なり、神様が人間を御自身の子女として創造された、そのみ旨を知ったなら、それは想像もできない創造主に対する背信と反逆であり、自ら破滅の墓を掘る道です」(2006. 11. 21)

180. 「アダムとエバは、堕落する前の十代までは、絶対純粋で成長していました。. . . 今日、ある男女がどんなに純粋であっても、人間の堕落以前のアダムとエバの純粋さにはかないません。純粋な生活をしていても、すでに悪魔の血統をもらい、知らず知らず自分の中に持っているのです。自分の責任ではないのに、その悪魔の血統を受け継いでしまったのです。アダムとエバは、最初からそのような悪魔の血統を持っていませんでした。堕落前のアダムとエバの姿に比べて、私たちは純粋さがありません。神様はとても厳しく、基準が清く高いので、最も純粋なアダムとエバがたった一度でも罪を犯すと、園から追い出してしまったのです」(1991. 2. 21)

真のお父様のみ言に対する感想

真のお父様は、祝福を受ける前に実践できる最大の美徳として、貞節と純潔を挙げられています。真のお父様は、最初の男女は、神様の創造の理想に内在するこれらの美徳を継承し、模範となるべきであったと教えておられます。神様は、アダムとエバが、結婚のために純潔を守るという戒めを守ることで、その人格を完成させることを願っていました。それによって、神との共同創造者の地位を獲得し、創造の主となることができたのです。アダムとエバを通して、神様は地上に実質的な存在となり、神様の子どもたちや被造物すべてと直接対話することができるようになるのです。

エデンの園での純潔の基準は何でしたか？アダムとエバは、お互いに不純な性的思考や感情を持たず、裸で成長していました。彼らは自己中心的な影響を受けておらず、完全に純粋でした。神様の戒めを破って性器を悪用した後に、彼らは恥ずかしく思い自分の裸を覆い、神様から隠れました。

思春期の時期は、性の純潔を守り、神様との輝かしいダイナミックな関係を作るための重要な時期です。真のお父様は、その関係をどのように作り、育み、成熟させるかについて、青年たちに実践的なアドバイスをされました。真のお父様は、思春期の間に自分自身を準備することが必要であるとおっしゃいます。「愛の扉はその時になって初めて開くものであり、開くまで待たなければなりません。愛の持ち主になってからなら、堂々と開けることができるのです。」と。(注[20])　この原則を守る必要性は、結婚の祝福を受けた後も同様です。絶対的な貞節という天の法則は、命そのものよりも大切なものです。夫婦の愛の絶対「性」は、天が人類に与えた最大の祝福です。

グランドキャニオンとナイアガラの滝

グランドキャニオンとナイアガラの滝の共通点は、そのユニークで素晴らしい自然の美しさだけではありません。グランドキャニオンとナイアガラの滝には、観光客が落下して命を落とすことのないように、ガードレールが設置されており、危険のサインもたくさんあります。公園では、私たちを守るために最高の素材を使ったガードレールシステムを構築しています。しかし、残念ながら悲惨な事故を防ぐことができないこともあります。

グランドキャニオンでは、目に見える周縁の地面は安定しているように見えますが、その下は侵食によって紙のように薄くなっています。一見、安全に見えても、そうではありません。手すりの後ろを歩いたり、縁に足をかけたりといった危険な行為が致命的な結果を招くこともあります。ある人はカメラのキャップを落としてしまい、慌てて取り出そうとしたところ、縁から落ちて死んでしまいました。また、帽子が飛ばされて縁の近くに落ち、無謀にも縁に近づ

20. (注) 世界平和統一家庭連合『天聖教』(ソウル：聖和出版社、2006年)、475.

きすぎて命を落とした人もいます。また、安全でない方法で写真を撮る人など、毎年、死者の数を増やしています。

ナイアガラの滝は魅力的な美しさと同じくらい危険なものです。毎分600万立方フィートの水が、時速２５マイルから時速６８マイルの超スピードで滝つぼに流れ込んでくるのです。多くの監視カメラや警告標識が設置されているにもかかわらず、観光客は危険な場所に足を踏み入れてしまいます。2011年には、日本の女学生がカナダ側の印象的な滝の写真を撮ろうと手すりに登りました。手すりにまたがり、両手でカメラと傘を持っていた彼女は、足を滑らせて川に落ち、滝の縁から転落してしまいました。これは、多くの回避可能な死の一つに過ぎません。。

ナイアガラの滝やグランドキャニオンでは、ガードレールを乗り越えて、制約のない未知の絶景を味わいたいと魅惑されるかもしれません。性的な誘惑も同じで、気をつけないと常識を無視してしまいます。自分個人ののガードレールを作る必要があります。自分の身の安全を守ることは、非常に重大な責任であり、その成功は自分の選択にかかっているのです。

現実化する

神様の理想を実現するために、私たちが絶対的な純潔の道を歩むためには何が必要でしょうか。性はとても魅力的なので、神様はアダムとエバに戒めを与えました。それは、早まって性的関係を持たないようにするためのガードレールの役割を果たすものでした。アダムとエバは生きているものの中で誰よりも純潔であったにもかかわらず、心を守り、血統を守るために、戒めの警告が必要だったのです。

私たちは誘惑に負けないと思っていても、そうではありません。ガードレールにはとても重要な役割があります。ガードレールは、私たちの行動基準と合わせそれにぶつかったときに、良心に戻してくれます。崖から落ちる前に立ち止まり、道に戻ることができるのです。多くの人は、自分の生活に制限を加えることを、子供じみているとか、必要ないと感じて拒否します。しかし、小さな不便さを我慢することで、とんでもない事故という大きな結果を経験しなくて済むかもしれないのです。

ビリー·グラハムは、20世紀を代表する福音派のリーダーであり、何人もの米国大統領の顧問を務め、世界中で何百万人もの人々から尊敬されています。グラハム氏は、性犯罪でニュースになる伝道者が増えてきたことを懸念し、「ビリー・グラハム・ルール」と呼ばれる、「妻でない女性と二人きりで出かけてはいけない」というルールをスタッフに徹底させました。

アメリカの元副大統領（2016年～2021年）であるマイク・ペンス氏が政治サイト「The　Hill」で、自分の結婚生活の周りに「安全地帯」を作るために常にこのルールを使ってきたと語ったことで、メディアはグラハム・ルールを巡って大騒ぎになりました。この自主規制は、多くの人にとって極端に見え、嘲笑を集めました。しかし、このような安全策を用いることで、人生で最も大切なものが守られるのであれば、それは価値のあることではないでしょうか。この二人の宗教的、政治的見解を信じるかどうかは別として、彼らが使ったガードレールの例は彼らの結婚生活を守っているのです。健全な境界線を持つことを後悔する人はいません。しかし、評判を落としたり、依存症になったり、配偶者を裏切ったり、子供を傷つけたりしたことを後悔する人はいます。

私たちの性欲は強力で美しいものですが、それが破壊的な行動につながることもあります。私たちは、ベッドの中で携帯の動画を次から次へとみるのが日課になっているかもしれません。この習慣がポルノ鑑賞につながるのであれば、夜は寝室の外に携帯電話を置いておく必要があるかもしれません。境界線を設けることが、一生適切な場合もあれば、短期間だけ必要な場合もあります。また、境界線なしで生活できるように自制心を養うまでの短期間だけ必要なものもあります。あなたが成功するために、どのような境界線を設定することができますか？

真のお父様は、私たちが配偶者との美しい性的関係を楽しむことができるように、絶対的な純潔の生活を送るべきだと強調されています。自分の人生の目的がはっきりしていれば、急速なスリルを味わうためにガードレールを越えるような危険を冒すことはありません。将来の幸せを他のものと引き換えにしないための制約に、安心感と感謝の念を抱くことができます。私たちが自分のセクシュアリティに対する強いビジョンを持ち、努力を重ねることで、神様が本来計画した絶対的な愛を経験することができるのです。

考察点·アクティビティ

- ガードレールが自分や大切な人を救ってくれた経験を分かち合ってください。ガードレールを無視して、後で後悔したことはありますか？
- 純潔を守るために、あるいは結婚生活に安全地帯を設けるために、あなたはどんな習慣を身につけることができますか？
- 現在または将来の祝福結婚に対するあなたのビジョンについて分かち合ってください。

家庭における絶対「性」倫理

青いルピナスや鮮やかな黄色のひまわり畑を歩いたり、晴れた日に冷たい川を下ったり、赤ちゃんの愛らしい顔を見つめたりすると、神様が私たちの周りにおられることが分かります。神様の愛が最も表現されるのは一体化し真の愛が溢れる家庭以外の何物でもありません。子供たちの無邪気さや自然の美しさは、完璧な世界を求める神様の意図を教えてくれます。しかし、私たちはこの世界が完璧ではないことを知っています。では、どのようにすれば、この堕落した世界から影響を受けない、絶対「性」倫理に根ざした家庭を作ることができるのでしょうか。

真のお父様のみ言

181. 「 神様の絶対的な理想の宮殿はどこに建っているのでしょうか。絶対「性」の倫理に基づいて完全に結ばれた家庭の中に、そして絶対的な理想の夫婦関係の中に存在します」(2007. 12. 28)

182. 「絶対「性」の基準を固守しなければ、人格完成、すなわち完成人間の道が不可能だからです。さらには、神様も人格神、実体神の位相を立てるためには、完成人間を通して真なる家庭的絶対性の基盤を確保しなければ不可能だからです。絶対者であられる神様が、私たちの人生を直接主管され、私たちと同居し、共に楽しまれるためには、御自身の相対であり、子女として創造した人間が、神様のように絶対「性」的基準で完成した家庭の姿を備えなければならないという意味です。絶対「性」を　中心とする家庭の枠の中でこそ、祖父母、父母、子女、孫と孫娘、このように三代圏を含む、人間の本然の人生の理想的モデルとしての「性」関係が創出されるのです。この基台の上でこそ、神様の永生はもちろん、人間の永生も可能になるということをはっきりと知ってくださるよう願います」(2006. 11. 21)

183. 「簡単に言えば、神の絶対性、平和、理想のモデルは、絶対「性」の倫理を掲げた家庭であります。本来、神様の家庭は二つではなく一つしかありませんでした。家庭の中心は絶対「性」の倫理であり、絶対「性」の倫理を経なければ、家庭は成立しません。絶対というのは、すべてを一つにして、全体的な清算をして、一番高いところに到達するという意味です。この話題だけでも、世界を統一し、問題を解決することができます。神様が提唱する絶対「性」倫理とは、一人であって二人ではありません。二人の人間が純愛によって絶対的に一つになることです。これは一人では果たせません。男性と女性は二つの存在なのに、どうやって絶対的な一つの存在になれるのでしょうか。絶対性と平和と理想の模範である絶対家庭の基礎は、男女の生殖器に他なりません。生殖器を抜きにしては、宇宙の根本問題を最終的に解決することはできません。それほど尊いものなのです。男性も女性もみんな持っているのです」(2007. 3. 7)

184. 「男性も純潔であり、女性も純潔でなければなりません。結婚前に汚すことはあり得ません。純潔、それから純血です。血統です。愛を望む人は、純潔を守らなければならず、新しい血統、純血の血統を受け継がなければなりません。それで純潔、純愛、純血です。それとともに男性と女性が結婚して、二人が一つになって東西南北に切り替わっても、上下が切り替わっても、前後左右が切り替わっても、どのようになったとしても「私は投入して忘れ、ために生きる」と言えば、千年、万年解放され、和合しないものがないがゆえに、統一世界が現れるのです」(2004. 2. 24)

185. 「今から家にお帰りになられたら、夫婦で自分たちの生殖器が絶対、唯一、不変、永遠の期間であることを互いに確認し、それが正に自分のものではなく、あなたのものであり、あなたが今までよく保管してきたものが自分のものだと宣言し、互いのために生き、永遠に奉仕し、感謝しながら生きようと誓ってください。そのような家庭であってこそ、永遠に

神様がとどまるようになり、そのような家庭を中心として世界的な家庭編成が行われるのです」（1996. 9. 15）

186. 「男性に絶対に必要なものは凸ではありません。凸は反発します。そこには幸福がありません。絶対凸には絶対凹が必要です。絶対凸が絶対凹と向き合うときには、神様が共にいらっしゃいますが、そうでなければ、神様は離れるのです。それはサタンの血統です。それは、九八パーセントになったとしても、サタンの血統の影が少しでも残っていれば、神様は臨在されません。絶対「性」、絶対相対、絶対愛を中心として、縦横が九〇度の角度になってこそ、神様が訪ねてこられて、その家庭の主人になるのです」（2000. 8. 29）

真のお父様のみ言に対する感想

真のお父様は、絶対的な真理であり、愛の存在である神様が、絶対的な倫理圏域で生きる家庭を通して、神様の完全なる反映を、子供たちの中に見たいと願っていることを示しました。祝福結婚の前に絶対的な純潔を貫き、祝福結婚の後に絶対「性」を実践することは、私たちの生殖器が神様の夢を実現するための入り口となるのです。このような家庭では、どの世代も調和のとれた愛の関係を楽しむことができるのではないでしょうか。彼らは理想モデルであり、平和な世界の基礎となります。

真のお父様は、夫と妻が自分の生殖器は配偶者のものであることを確認するよう指導しています。それぞれの夫婦が配偶者に感謝と奉仕をもって絶対「性」の原則に基づいて生活するとき、家庭に調和が生まれ、純血が形成されます。このような生活をする家庭が増えれば、世界の問題を共に解決することができます。

ウォルトン一家

テレビや映画の世界では、三世代にわたる神様を中心とした家庭のモデルとなる作品を見つけることは困難です。非伝統的な価値観を持つ片親の家庭を描いた　シットコムは1960年代から人気があったので、70年代に映画「ウォルトン一家」が大ヒットしたときは大きな衝撃でした。これは、大恐慌と第二次世界大戦中のバージニア州の田舎の家庭を描いたテレビシリーズでした。1972年にアメリカの家庭が「

ウォルトン一家」を見始めたとき、それはまるで新風のようでした。最初は、伝統的な家庭の価値観を受け入れる人は少数派のようだったので、成功するとは期待されませんでした。しかし、その後、番組は急速に人気を高め、エミー賞を13回も受賞し、何百万人もの視聴者を魅了しました。

アメリカ人はテレビドラマ「ウォルトン一家」のどこが気に入ったのでしょうか？離婚率が急上昇していた時代に、架空のウォルトン家はどんな状況でも団結していました。それがこの番組の人気の一因でした。七人の子供がいるのでお金には困っていましたが、いつも十分な愛と笑いがありました。父母も祖父母も、結婚生活では愛情を示し、情熱的に愛し合っていました。祖母は古風で控えめな人でしたが、祖父が祖母の頬にキスをしてからかう遊び心は失われていませんでした。若い世代は、彼らの結婚生活にまだ火がついていることを感じました。多くの視聴者は、ウォルトン家のエピソードによって、元気づけられ、愛されていることを実感したと語っています。父親役を演じた俳優のラルフ･ウェイトは、今でもファンからお父さん代りになってくれてありがとうという感謝の手紙が届いていることに驚いています。ウォルトン一家の作家アール･ハムナーは、自分の番組が成功した理由は「視聴者は価値観の肯定を必要としていたと思いますが、私たちはそれを提供しました。それが視聴者の思いを高揚させました。そして、この国にはそれが必要だったのです」と語っています。

「ウォルトン一家」では、すべての物語に神様が登場し、登場人物はそれぞれ公式または非公式の宗教的な信念を持っていました。これはハムナーの家庭にも当てはまります。ハムナーの祖母、母、そして兄弟はバプティスト教会のメンバーで、定期的に教会に通っていました。彼の父親は組織的な宗教を好まなかったですが、個人的には強い信仰心を持っていました。家庭全員が、忠誠心、正直さ、誠実さという価値観によって結ばれていて、それをお互いの関係や地域社会で実践していました。アール･ハムナーの脚本に出てくるシナリオや会話の多くは、彼が自分の家庭と一緒にバージニア州の田舎で暮らしたときの記憶に基づいています。

この架空の家庭は、多くの人々に神様を中心とした家族のモデルを信じさせ、受け入れるように促しました。真のお父様の教えは、家庭の価値が絶対的な性倫理に基づくという新しい段階へ私たちを連れていきます。

現実化する

現代の文化を考えると、絶対的性倫理は実現不可能な理想のように思えるかもしれません。しかし、真のお父様のみ言は、神様の助けがあれば、私たちはそれができると信じるように教えています。真のお父様が言われる絶対性的倫理とはどのようなもので、私たちの家庭ではどのようなものなのでしょうか。貞節を守り、お互いのみ性的関係を楽しんでいる親は、成長期の子供たちと愛情を持って率直に、そして定期的にコミュニケーションを取り、絶対「性」を大切にする理由を常に育んでいます。そのため、子供たちは幼い頃から自分の生殖器が神聖なものであることを学び、祝福結婚まで絶対的な純潔で生活することを約束します。

絶対「性」を実践する夫婦は、より簡単に自分を充電し、違いを和解し、ストレスを解消することができます。困難は消えませんが、愛の営みは二人の特別なつながりを確認します。夫婦が愛で結ばれていれば、人生に圧倒されることはありません。夫婦が愛の営みを通じて夫婦関係を深めていくと、神様が理想とする「祝福結婚」への信仰と感謝が深まっていきます。夫婦がお互いに完全なる貞操を誓い、セックスの喜びを経験すると、人生のあらゆる面で繁栄します。心の安定、健康、幸福感が向上します。このようなライフスタイルにより、夫婦は家庭や地域社会に影響を与える性道徳のモデルとなることができます。

このような家庭では、母親と父親がお互いに率直に愛を表現しているので、子供たちはより安定した安心感を得ることができます。子供たちは、ハリウッドのロマンスとは対照的な、健全な夫婦愛のモデルを見て育ちます。彼らの親は、性教育を学校に頼ることはありません。その代わりに、両親が責任を持って、性について継続的かつオープンに話し合います。このような話し合いは、忘れられない大切な記憶となり、子供たちが結婚生活に対する明確なビジョンを確立するのに役立ちます。

子供たちが不安を克服し、失敗を親に話し、理解と許しを得ることで、親密さと親孝行が育まれます。自分の過ちやそれをどう克服したかを正直に話してくれる親には、子供たちも心を許すようになります。ポルノを見たり、自慰行為をした子供たちが親と話すことができるのは、家庭という信頼の基盤があるからです。無条件の愛と指導により、親は子供たちが良心に沿った行動をとり、将来の祝福結婚に悪影響を及ぼすような危険な習慣から避けることを共助できます。親は子供たちの告白を、審判したり失望したりすることなく聞くことができます。その結果、子供たちは自分の純潔を守ることに努力を重ねる力を得ることができます。

祖父母もまた、孫が性に対する高潔さを身につけ、祝福結婚の準備をすることに関心があります。親と祖父母の両方からの愛と生活指導を受けた若い男女は、完全にサポートを受けていると感じ、自分の価値と生殖器の尊さを知ります。彼らは自分と他の人の純潔を尊重します。

子供は誰でも、永遠に一緒にいることを約束しているお父さんとお母さんがいて、お互いに愛し合い、その愛の結晶として子供を抱く家庭で育つことを望んでいます。手の届かない夢であれば、子どもたちはこの願望を持って生まれてこなかったでしょう。私たちは過去を変えることはできませんが、絶対的な性倫理に根ざした家庭を作ることで、未来を変えることができるのではないでしょうか。

考察点·アクティビティ

- 親とどんな会話をしたかったですか？
- あなたが何かを壊したり、ミスをしたりしたときに、親が予想以上に優しく許してくれたときの内容を分かち合ってください。それであなたはどう感じましたか？
- 家庭で映画「ウォルトン一家」のエピソードを見てください。

世界における絶対「性」倫理

真のお父様が初めて絶対「性」という言葉を使われたのは、1996年の世界平和家庭連合（FFWP）（注[21]）　発足時の演説でした。この「宇宙の根本を探して」という演説は、アメリカの全州の新聞に掲載され、185カ国で発表されました。これは、世界の指導者たちに、絶対「性」（神様を中心とした性）の新しい運動を自国で受け入れ、宣言してほしいという訴えでありました。

真のお父様のみ言

187. 「神様がアダムとエバに期待したことは何だったでしょうか。絶対愛を期待したのです。絶対「性」が存在するところには絶対純潔の夫婦が誕生するようになり、自動的にフリーセックス、ホモ、レズビアンという言葉は消えるようになるのです」。（1996. 9. 15）

188. 「それでは、世界平和統一のための家庭連合の目的は何ですか。道徳と宗教など、すべての分野を完全に超越し、夫婦が完全に一つとなって、神様までも拍手で歓迎できる人が暮らす世界なのですが、そのような世界では、夫と妻の生殖器の主人は誰でしょうか」。（1996. 9. 15）

189. 「このような絶対純潔の愛を求める運動を世界的に広げるために、レバレンド·ムーンは一生を捧げて受難の道を克服してきたのであり、今は、勝利の祝歌を響かせながら、世界に号令をかけるときになったので、天に感謝しているのです。

21. （注）文鮮明,「宇宙の根本を探して」、世界平和家庭連合設立 世界185カ国講演ツアー、韓国ソウル・オリンピックフェンシング体育館、1996年9月15日（『平和経』第二篇，スピーチ3、211ページ）。

世界平和に向かっていく礎石を置くのも家庭であり、世界平和への道を破壊するのも家庭です。人類の希望と幸福の土台が破壊されたところがアダム家庭でした。したがって、きょう、このように『世界平和家庭連合』を創設し、皆様の家庭も、今からはサタン世界と一八〇度異なる方向に行くことができる道が開かれたことを、天に感謝せざるを得ません。この道でなければ自由も幸福も理想もありません。皆様は今、絶対的な純潔の生殖器、唯一の生殖器、不変の生殖器、永遠の生殖器を中心として、これを基盤として神様を求めるようお願いします。この基盤が真の愛の基盤、真の生命の基盤、真の血統の基盤、良心の基盤にならなければならず、ここから正に地上天国と天上天国が生じることを理解されなければなりません」。(1996. 9. 15)

190. 「家に戻りましたら、サタンの世界との戦いを計画してください。どこに行かれても、テレビやその他、言論機関を通してレバレンド·ムーンの話を伝えてみてください。絶対に滅びません。地獄になったこの世界を、果たしてどんな力で変えることができるでしょうか。神様の愛、すなわち絶対、唯一、不変、永遠であられる神様の真の愛を中心として、私たちの生殖器も絶対、唯一、不変、永遠の基準に立てて生きていかなければ不可能なのです。私たちの生殖器の本来の主人は神様であられます。今、私たち全員が共にこの目的のために前進しましょう。神様の真の愛を実践する前衛隊になりましょう。これこそが世界平和家庭連合の使命なのです。今から家にお帰りになられたら、夫婦で自分たちの生殖器が絶対、唯一、不変、永遠の器官であることを互いに確認し、それが正に自分のものではなく、あなたのものであり、あなたが今までよく保管してきたものが自分のものだと宣言し、互いのために生き、永遠に奉仕し、感謝しながら生きようと誓ってください。そのような家庭であってこそ、永遠に神様がとどまるようになり、そのような家庭を中心として世界的な家庭編成が行われるのです 。(1996. 9. 15)

真のお父様のみ言に対する感想

真のお父様は、家庭崩壊の主な原因である性的不道徳について非常に懸念されていました。真のお父様は、「宇宙の根本を探して」という重要な演説の中で、世界の指導者たちに、自国で絶対的な性倫理の教育と実践を促進するよう訴えられました。国家が不道徳に歯止めをかけず正しい性行動の基準を普及させる努力をしなければ、家庭が破滅し、ひいては国全体が崩壊してしまいます。

真のお父様は、世界の指導者たちが自国を破壊から遠ざけることができる唯一の方法は、「国民が生殖器を神様の真の愛の永遠の基準に従って扱うように導くことである」と警告しています。生殖器を尊く思い、健全な性に対する不変の基準に従って生活する、神様を中心とした家庭は、国の繁栄と平和な世界を築くのに貢献するのです。

驚くべき宣言

FFWPUヨーロッパ・中東地域会長のマイケル・バルコム博士は、真のお父様の演説を聞いたときの体験談を語っています。

「家庭連合は1996年8月1日に正式に発足しました。真のお父様は、非常に有名な人々をワシントンD.C.に招集されました。その中には、三人の元アメリカ大統領を含む、多くの影響力のある優秀な人々がいました。誰もが、人類の問題に対して家庭連合が何をもたらすことができるのかと興味を持っていました。

真のお父様が閉会の辞を述べられたとき、多くの人は、家庭が最初の基礎であるとか、家庭が愛の学校であるとかいう話をされるのではないかと思ったと思います。あるいは、異なる信仰を持つ人々が協力して人類一家族を作ることができると話されるのではないかと思っていました。私はその場にいたので、それを期待していました。しかし、真のお父様は慣習を捨てて皆が驚く、生殖器について話すことにされたのです。

真のお父様は、「将来、生殖器を重要視する世界になったら、その世界はどのようになるでしょうか。その世界は栄えますか、それとも滅びますか」と尋ねました。

会場には緊張した笑いがざわめきました。お父様は「これは冗談ではない！神様が人間を創造したとき、どの部分に最も力を注いだのか？家庭連合は何のためにあるのか？もし人類が絶対的に生殖器と調和していたら、どんな世界になっただろうか？生殖器の所有権が異性にあることを明確に理解するようになれば、世界は今のような状態にはならなかったことでしょう」とおっしゃいました。

これは驚くべき宣言でした。学者や博士はたくさんいますが、このようなことを考えた人はいませんでした。それが、家庭連合の設立目的だったのです。」

現実化する

キング牧師の有名な演説「私には夢がある」では、彼は人種差別や分断のない平和な世界を想像しました。それと同じように、私たちは絶対的な性的倫理が規範となる世界を想像することを勧めています。真のお父様は、家庭連合設立のための開会式の宴会で、各国の首脳に向けて、国家における性の重要な役割について大胆に語られました。真のお父様は、各国の指導者たちに、自国の国民のもとに戻り、生殖器の神聖な価値について教育するよう懇願されました。真のお父様は、「生殖器を重要視する未来の世界はどのようなものになるでしょうか？」と問いかけ、より良い未来を想像するよう指導者たちに挑戦しています。皆さんも心を開いて一緒に想像してみてください。

> 『メディアや政府、学校は、生殖器の神聖さを強調することで、性を大切にする文化を積極的に推進しています。すべての人が神様の子として尊重され、自己満足の対象として扱われることはありません。ポルノは、破壊的な習慣であると広範囲に認識されているため、もはや主流でもクールなものでもありません。人身売買は過去のものとなりました。親は子供の無邪気さが失われることを心配しなくてもよいです。ポルノ産業や性犯罪者が消えていったので、子供たちは近所でもネット上でも安全に遊ぶことができます。
>
> 未成年の非行と麻薬、アルコール、その他の中毒は大きく減少し神様を中心とした家族が子供たちのために安全と教育の場を作っています。子供を取り合う親の家庭裁判所は必要なくなります。片親の家族は減り子供たちは安定した父と母によって安全と安心感を感じます。ハリウッドでは家族心

の心が引き上げられる物語が作られ、行きずりの性関係や性的露骨な内容の映画やショーは受け入れられません。
夫婦は親密で幸せであり性的満足を他に求める必要を感じません。性的誠実さと永遠の結婚は最高の誇りとなります。人々は一生涯の伴侶とともに長生きをし50年とか80年の結婚記念日をメデイアが報道するのは常です。』

私たちがこのような世界を想像できるのは、心の中でこうなるはずだったと思っているからです。では、どうすればそのような世界を作ることができるのでしょうか。衝動を抑え、初心に戻って行動すれば、人間関係のすべてに誠実さが現れ、家庭、国家、世界に調和と繁栄をもたらします。性に関してもこのような理想を心に描くならば、配偶者と純粋で無私の愛を分かち合うことができると確信し結婚することができ、誠実な生活を送る家庭を築くことができます。

真のお父様は、世界のあらゆる場所で大胆にメッセージを宣布されました。同じように、私たちも性に対する神様のみ旨を語るときには、はっきりと勇気を持って話すことができるはずです。すべての人が生殖器を大切にする世界は、私たちが真の意味で性倫理を発展させ、他の人も同じになるように共助することで実現するでしょう。

考察点·アクティビティ

- あなたが真のお父様の記念演説を聞く世界のリーダーの中の一人であると想像してみてください。何を考え、自国に戻ってからどのような影響を与えたでしょうか？
- 生殖器を大切にする世界のために,あなたの家族や地域社会はどのように協力することができますか？
- 絶対性倫理はどのようにして、世界が共に生き、共に栄え、普遍的価値を成し遂げるように共助できるでしょうか？

第五章:
堕落

ルーツ

あなたが養子となり、実の親を知らなかったとしましょう。養父母が愛情深く、素晴らしい人だったとしても、自分がどこから来たのか、兄弟や姉妹がいるのか、疑問に思うことでしょう。一体自分の親が誰なのか、なぜ自分を捨てたのかを知りたいと思うでしょう。そして、ある日、実の親がどこに住んでいるのかを知り、家に行ってドアを叩きます。発表会や野球の試合、卒業式などで、いつも後ろの方に座っていた人達だと気づくかもしれません。あなたが自己紹介を始めると、彼らは「あなたのことを知っていますよ。あなたが赤ちゃんの頃から、ずっとあなたのことを見守ってきましたよ」と言って、写真の詰まったスクラップブックを取り出して見せてくれます。実の親があなたを抱きしめ「ずっと愛していたよ」と言ってくれたら、あなたはどんな気持ちになるでしょうか?

真のお父様のみ言

191. 「見るからに美しい大木を想像してみてください。その根は見えませんが、深く張っているでしょう。その根の先端は小さく、地表から何百フィートも下にあります。上の方にある一番小さな葉っぱが、その根っこにつながっているのが分かりますか？一方で高く、もう一方は深いので、そのつながりは分かりにくいのです。しかし、根との関係がなければ、その葉はやがて枯れてしまいます。それと同じように、私たち人間も、「根なんてどうでもいい、自分とは別物だ」と言っていたら、枯れてしまいます。目に見える部分が成長して強くなるためには、地下の根が成長して大きくならなければなりません。肥料は、目に見えない部分を養うために地面に撒きます。人間にとっての肥料とは、思考と祈りです。これら

は私たちの根に栄養を与えます。私たちは常に地下の根に多くの栄養を与えなければなりません」(1988. 4. 3)

192. 「文総裁が今まで苦心して宇宙の根本を追求した結果、ぴたっと到着したところが生殖器でした。生殖器に至ってじっと考えてみると、天地の調和がここで渦を巻いていたというのです。驚くべき事実です」。(1990. 1. 7)

193. 「神様は、私たちの心の中にある原動力です。私たちの原点であり、理想の根源でもあります。原因がなければ結果も出ません。ですから、神様なしでは宇宙は成り立ちません。この地上に住む私たちは、親を失った孤児のようなものです。親を見つけた人の歓喜の声を想像してみてください。その喜びは、世界を征服して物質的な富を得た将軍の喜びとは比較にならないほど大きいでしょう」(1969. 10. 2)

194. 「不倫な淫行関係によってエバは天使長と一つになり、アダムもまた、天使長と一つになったエバと一つになることによって、アダムとエバは結局神様を中心にしたのではなく天使長を中心にした夫婦関係を結び、家庭を築くようになったので、アダムとエバの後孫であるすべての人間はサタンの血を受け継ぐようになったのです。したがって、本来のアダムとエバの息子は神様の長子、次子にならなければならなかったにもかかわらず、エバが不倫な情で天使長と関係を結んだため、神様の息子である長子と次子はサタンの所有物になってしまったのです」。(1997)

195. 「堕落は、神様を中心としてアダムとエバが一つにならなければならないのに、神様の僕である天使長と一つになったことを言います。神様の血統を受け継ぐべき人間が僕の血筋を受け継いだということです。ですから堕落した人間がいくら神様を父と呼んでも実感が伴わないのです。これは神様であれ何であれ関係なく、すべてのものを自己中心に連結させて考える堕落性本性が遺伝されたからです。それでみな相反する存在になり、宗族と民族を成したので、少したてばすべて分かれるようになるのです。このようにして立てられたのがサタン文化圏です」(1977. 2. 23)

196. 「善悪の実を取って食べて原罪が生じますか。お父さんが善悪の実を取って食べたのが罪だと言いますが、善悪の実が何であるがゆえに千代、万代の後孫が罪人になるのですか。これは血統的関係です。血統的に罪の根を植えておけば、遺伝法則によって永遠に行くのです。それができるのは愛の問題しかありません。間違った愛が堕落の原因です」。(1969. 5. 18)

197. 「堕落はどこから始まったのですか。家庭で堕落したというのは何をしたのですか。善悪の実を取って食べたのですか。家庭的に堕落するというのは愛以外にありません。善悪の実を取って食べて堕落しますか。善悪の実を取って食べて原罪が生じますか。父親が善悪の実を取って食べたことが罪だというのですが、何千代何万代後孫が罪人になる善悪の実とは何なのでしょうか。これは血統的関係です。血統的に罪の根を植えておけば、遺伝の法則によって永遠に続くのです。そうであり得るのは愛の問題だけです。過った愛が堕落の原因です」(1969. 5. 18)

198. 「聖書の内容を観察してみれば、人類始祖が不倫の愛によって、サタン悪魔を中心として父子の関係を結んだという事実を否定することができません。神様の血筋を受け、神様の絶対的な愛の中で、神様の直系の息子、娘として生まれなければならない価値をもった人間が、サタン悪魔の血統を受けてサタンの息子、娘として生まれたというのです。ローマ人への手紙第八章に「御霊の最初の実を持っているわたしたち自身も、心の内でうめきながら、子たる身分を授けられること、すなわち、からだのあがなわれることを待ち望んでいる」(二三節)と記録されています。養子は、血筋が違うのです。これが私たち人間の正体なのです」(1972. 3. 1)

199. 「善悪の実とは何でしょうか。愛を間違えば、永遠の悪の実を継承するのです。愛を正しくすれば、永遠の善の実を継承するのです。その善悪の実とは何かの果物ですか...善悪の実というのは男性と女性の生殖器を言うのです」(1992. 2. 2)

200. 「皆さんは今、真のご父母様から祝福結婚を受け、血統変換をなし、天と縦的に一つとなった影のない生活を送ると、自動的に天国に入ることができる恵みの時代に生きています。つまり、地上で真の家庭を築き、天的な生活を送れば、死ね

ばその命は天国につながり、永遠の命を受けることができるのです」（2006. 10. 14）

201. 「エデンでは、神様はアダムとエバの結婚式を行うことができませんでした。彼らは自分の意志で結婚したので、神様の血統ではなくサタンの血統につながっていました。祝福の儀式はこれを根こそぎにして、アダムとエバを神様の血統に再び結びつけます。だからこそ、祝福式を通して、私たちは本来の祖国、堕落のない天国の解放された天の国に住み、神様を父として参列することができる市民権を得るのです」（2006. 3. 30）

真のお父様のみ言に対する感想

真のお父様は、特に血統に関する比喩として、「根」という言葉をよく使われます。生殖器が宇宙の根源であるとおっしゃるのは、どういう意味でしょうか。アダムとエバは神様の子供として創造されました。彼らは、神様の意図に従って生殖器を使うことで、神様の血統を受け継ぐ息子や娘を産むことになっていました。生殖器は血縁関係が生じるので、血縁の根源であり、神様の愛が永遠に広がる手段であるのです。

アダムとエバが生殖器を悪用したことで、最初の根が蹂躙されました。その結果、神様の子女として創られた何千もの世代が、代わりにサタンの血統で生まれてしまったのです。無条件の愛と献身の故に神様は、この悲劇的な歴史の流れを変え、失われた血統を取り戻す道を提供すると決意しました。

私たちは今、真のご父母様から祝福結婚を受け、自分の血統をサタンのものから神様のものに戻すことができる恵みの時代に生きています。真のお父様は、神様に戻るためには、サタンの世界からすべてを切り離し、真の根に接ぎ木しなければならないと教えてくださいました。男女の生殖器の使い方によって、誰の血統を受け継ぐかが決まるのです。祝福された夫と妻は、自分の生殖器をお互いのためにだけ保存することを誓い、天の親密さを理解して実践してこそ輝く家庭が作られます。このような家庭から、神様の血統が始まり、広がっていくのです。

現実化する

木の根は、家の基礎のように、地上のすべてのものを支える錨のようなものです。木の根は、土壌から栄養分を集めて枝葉に運ぶシステムを提供しています。木の根は、このような複雑で効率的な方式を作ることを願う技術者を感嘆、感心させます。木の根は、土壌の最上部18インチ内のどこに最も豊富な有機物と水があるか分かります。しかし、木の根のシステムはそれよりもはるかに遠くまで伸びています。中には髪の毛ほどの細さの根が何百キロも続くこともあります。樹木の生活の質は、その根にかかっているのです。

健康な日本の古代桜

山梨県の北杜市にある神代桜は、樹齢約2,000年です。この桜は、日本でも世界でも最も古い桜ですが、今でも毎年春になると花を咲かせています。この桜は、2011年に起きた大地震にも耐えました。その数百年前には、戦争や飢饉など数え切れないほどの困難を乗り越えてきました。この木の成功の秘訣は何でしょうか？それは「根のシステム」です。桜の木は、太い永久根とそれを支える細い根のネットワークが複雑に絡み合っています。この複雑なシステムにより、桜は長生きすることができるのです。適切に管理すれば、毎年春に美しい花を咲かせて、目的を果たすために生き延びることができるのです。

　桜の物語は、命の成功の一つとして見る人すべてに喜びをもたらします。祖先や子孫、さらには神様とつながる自分のルーツを大切にすることは、自分の祝福結婚だけでなく、神様の美しい宇宙の理想にも投資することとなります。生殖器の機能はかけがえのない、唯一のものです。真のお父様が生殖器を宇宙の根源と言われるのはこのためです。愛と生命と血統の宮殿であると語られました。夫と妻は夫婦生活を通じて、互いの愛を育んで生涯にわたり完成への旅路を歩むのです。

考察点·アクティビティ

- 先祖に関する情報を調べたことはありますか？もしあるなら、何を見つけましたか？
- どのような遺産·伝統を残したいですか？
- 祝福カップルはいかに自分たちのルーツを大切にできますか？

岐路

もし、違う重要な決断をしていたら、自分の人生はどうなっていただろうかと考えたことはありませんか？振り返ってみると、当時は自分の選択がどのような結果をもたらすか、想像もつかなかったことがあります。慎重に検討したこともありましたが、簡単な決断をしたこともありました。真のお父様は、私たちの選択、特に性に関する選択の重要性を理解されています。真のお父様のみ言は、はじめは衝撃的なほど強力なものですが、その背後にある思いを理解すると、感謝の気持ちが湧いてきます。

真のお父様のみ言

202. 「生殖器を、目の見えない盲人のように、方向を失ったまま使用すれば地獄行きであり、反対にこれを神様の絶対愛に基準を合わせて使えば天国の高い所に行くのです。明白な結論です。今、青少年の問題は深刻です。エデンの園でアダムとエバが、青少年期に日陰で淫乱によって堕落し、フリーセックスを蒔いたので、収穫の時期である終わりの日には、必ず世界的に青少年たちのフリーセックスの風潮が蔓延する現象が現れるのです」（1996. 9. 15）

203. 「生殖器が地獄と天国に分けてしまった、ということを知らなければなりません。これを間違って使えば地獄と連結し、正しく使えば自然に天国に至るのです。出発地は一つであって、二つではありません。愛の行為がどれほど重要かというのです。もう、皆さんも分かりましたね？　はっきり分かりましたか。すべての女性と男性たちが家へ帰って、「今、真理が分かった。今から実践してみよう！　これが、私たち家庭の希望の本拠地だ」と言うことができるようになれば、すべての解放が展開されるのです。結論は、宇宙的宣布と共に私たちは宇宙的宣布の内容を知って、生殖器を保護しなければならないということです」(1996. 5. 24)

204. 「地獄と天国がどこから出発したのか、それを考えてみてください。どこから出発しましたか。空中ですか。どこですか。生殖器です。深刻でなければなりません。ここが天地をひっくり返して打ち込みました。それを否定することができますか。レバレンド· ムーンの 原理講論 の本にある堕落論理を否定する道はありません。神様に尋ねてみてください。みな調べてみてください。そのような答えをもらえずに、自分たちは夢でも、聞くことも、知ることもできなかったことを、レバレンド· ムーンが理論的体系をつくっておいたので、反対する道、反対する道理がないのです」。(1996. 8. 1)

205. 「今、サタン世界では完全に生殖器がすべて壊れてしまいました。フリーセックス、レズビアン、麻薬がはびこっています。麻薬は精神を失わせるのです。人ではなく、動物と同じにさせるのです。動物のような考えしかできないのです。しかし、天国はこれと一八〇度正反対です。フリーセックスではなく、絶対愛のコンセプトなのです。永遠の愛のコンセプトなのです。不変、唯一の愛のコンセプトです。これは、一気に天国に連結されます。地上でそのような基盤を築けば、地上天国になるのです。否定できない理論的な結論です。皆さんの愛の基盤に気をつけなければなりません」(1996. 5. 26)

206. 「堕落とは何ですか。根本問題、根本は何ですか。アダムとエバが生殖器を自分のものだと思って自由行動をしたということです。成熟すれば、神様を中心としてアダムのものはエバのものであり、エバのものはアダムのものとなって、永遠なる神様と絶対的な愛の基台をつくるためのものだったのですが、それを不信して自分のものにしたということです。それで、これが破壊されてしまったのです。自分のために生きる人は地獄に行くのであり、相対のために生きる人は天国に行くのです。ここから分かれるのです。この生殖器が地獄と天国の境界線です。それを知らなければなりません。」(1996. 11. 1)

207. 「歴史を通じて、生殖器が最も悪いものになりました。それを考えてみてください。地獄が出発したポイントと一八〇度異なる方向だというのです。真の生殖器は天国に入っていくものであり、偽りの生殖器は地獄に入っていく出発点だということを今まで知らなかったというのです。その基盤が生殖器だというのです。生殖器を誤って使用することは地獄に連結されることであり、愛を正しく行うことは天国に行くことです。簡単です」（1996. 5. 26）

208. 「善悪の実とは何ですか。善悪の実は、善の男性と関係すれば善の実となり、王と結婚すれば王子を生み、マフィアのボスと結婚すればマフィアのリーダーを生むのです。善悪の実です。善と悪の実を結ぶことができるものとは何かというと、女性の生殖器です。女性の生殖器を犯してはならないというのです」（1997. 4. 16）

209. 「すべて種が流れ、これが結実できる、それが生殖器です。そこにすべて集まるようになっています。悪いもの、良いものがそこにすべて集まるようになっています。ですから、これを正しく使えば良い人になり、使えなければ最も悪い人になります。」(1996. 11. 11)

210. 「地獄に送るのは、神様では絶対にありません。霊界に行けば、自分で地獄に行きます。邪悪に生きた人は、善なる所に行けば呼吸が合いません。呼吸できなくなります... 地獄に誰が送りますか。そのような神様ではありません。地獄は自分が訪ねていくのです」(1990. 2. 25)

211. 「ですから、天国とは、銀河系の反対側の宇宙にある世界ではなく、人間の脳の中だけにある想像の産物でもありません。真の愛の生活をして初めてできる、実質的な王国、地上天国のことです。その土台の上で肉体の世界を離れると、自動的に霊界の天国に入ることになります。つまり、地上で天国のような生活を送ってこそ、天国でもそのような生活を送ることができるということです」（2006. 4. 10）

212. 「若い皆さんは、善と悪の岐路に立っています。一歩間違えれば、険しくて深い死の穴に落ちてしまうかもしれません。困難ではありますが、正しい一歩を踏み出してください。そうすれば、広大な敷地に広がった、輝く明日への希望が見据える勝利の王子や王女になれるのです。そのためには、一歩

一歩を切に見つめなければなりません。雪に覆われた道を歩く時は気をつけなさい。」　(1972. 7. 16)

213. 「親愛なる貴賓の皆様、天国と地獄の分かれ道をご存知ですか?それは空中にあるのでしょうか?それは教会の聖殿の中でしょうか?政府の中でしょうか?そうではなく、天国と地獄の境界線は、あなたの生殖器にあるのです。天地がひっくり返る人類史上最大の悲劇が起きたのは、ここなのです。生殖器をやみくもに使えば、必ず地獄に落ちます。逆に、神様の絶対的な愛の基準に沿って使えば、天国に行くことができます。これを否定する人はいないでしょう。もし疑うのであれば、私に啓示された天理が書かれている『原理講論』をよく読んでください。それでも疑問が解消されない場合は、心から祈ってみてください。きっと神様はあなたの祈りに答えてくれるはずです」(2004. 10. 26)

真のお父様のみ言に対する感想

真のお父様は、神様の夢を実現するために生殖器が果たす強力な役割を発見されました。アダムとエバには、生殖器を神様の願われた方法で使用するようにという神様の戒めに従うかどうかの選択がありました。それに従わないという決断は、彼らと全ての人類を長く苦しい道へと導いたのです。他の道を通過したら、神様の理想を実現するために美しく繁栄したことでしょう。岐路に立った時、天の父母様に逆らい、すべてを台無しにしてしまったのです。一瞬の過ちが、今日まで続く人類の苦しみの歴史を始めたのです。

真のお父様の最初の男女がどのようにして神様から離れたかに対する洞察は、私たちが純潔を正しく選択をするのに役立ちます。誤った決断をする傾向は常に私たちの中にありますが、今では自分の選択がもたらす深刻な結果について、より多くの情報を得ることができます。真のお父様は、私たちが岐路に立ったときに立ち止まり、神様が導いてくださる場所を遠くまで見渡すことを勧めておられます。困難な選択に直面しても、私たちは正々堂々としていられるでしょうか?

人類の始祖のように、私たちも性に関する選択について、しばしば分かれ道に立たされます。真のお父様は、このような時を天国か地獄かの岐路に例えておられます。それは、私たちが正しい道に進めば、自分と家族のために美しく幸せな人生を送ることができますが、違った方向に進めば人生は問題の多い苦難の道となります。

真のお父様は、私たちが過ちによる自然の結果をさけることができるように、このような厳しい警告をされているのです。このような強い言葉にもかかわらず、地獄は永遠に続く状況ではなく、自身で選択するものだとはっきり教えてくださいます。神様はご自分の子供たちを決して見捨てません。愛と寛容の天の親として、一人一人が天国に到達するための道を必ず用意してくださいます。私たちも、自分たちや愛する人たちに天国への道を提供できる人になれるでしょうか。

現実化する

岐路に立たされたとき、どちらの道を選ぶか、優柔不断になったことはありませんか？どちらの道を選ぶかによって、より良い場所に行くことも、より悪い場所に行くこともできるのです。健全な選択を繰り返していると、良い習慣が身に付き、幸せで充実した人生を送ることができます。しかし、その逆もまた然りです。不健全で自己中心的な決断をすると、後悔ばかりの葛藤と悩みに満ちた道を歩むことになります。

私たちが人生で直面する最も困難な岐路の一つは、生殖器をどのように使うかということです。すぐに満足できるものは簡単で魅力的ですが、私たちが経験する喜びはいつも一時的です。夜中に一人でポルノを見たくなることもあるかもしれませんが、それでは決して満たされた気持ちにはなれません。性的エネルギーの使い方を誤ると、愛のある配偶者また親として必要な自己管理能力が徐々に失われていきます。深刻な依存症になると、本人とその周りの愛する人たちに心の痛みと悲劇を及ぼします。このような習慣が続く限り、夫婦の親密な真の愛を経験する能力は失われていきます。

私たちが即座の満足を否定した時、私達は現在と長期間の幸福のための投資をしているのです。性的エネルギーを配偶者のためだけに確保すると、それが強力な結合力となります。パートナーがお互いのために生きている結婚生活には、慰めがあり、つながりがあり、力強さがあります。このカップルは、愛に対する最高の願望を満たしています。そして喜びに溢ちた充実した人生を送り、人々にインスピレーションを与えます。

神様が意図された生活スタイルにたどり着くまでの道のりは、実に困難なものです。私たちは一生のうちに何度も岐路に立たされるかもしれません。過ちを犯した後に軌道修正するには、正直に告白し、助けを求めることから始まります。天の父母様は大きな心で、私たちが本来あるべき生活に戻るための道を常に提供してくれます。恩恵と多くの努力によって、壊れたものも修復することができます。

原子の分裂

神様は、宇宙のあらゆるものを構成する基本要素として、原子を作りました。ピンの頭は何百万個もの原子で構成されており、その中にはさらに小さな粒子があります。1940年代、科学者たちは、原子の核を分裂させることで、これらの素粒子を支える強力なエネルギーを放出する方法を発見しました。奇跡的な発見と思われたこの方法は、壊滅的な結果をもたらしました。

1945年8月6日の朝、広島を襲った原子爆弾は、重さ9000ポンド以上で、米軍機からパラシュートで投下されました。地上2,000フィートの高さで爆発した原爆は、熱、光、衝撃波、そして核放射線によって、急激に全てを破壊しました。

半径1マイル以内のほとんどの建物が破壊されましたが、最も悲惨なのは人的被害です。この爆弾により、広島だけで8万人が死亡したと推定されています。また、原爆や火災による爆発的な爆風と急性放射線障害により、最終的には広島と長崎で20万人が死亡しました。その後も、火傷や放射線障害などの影響で、何年にもわたって多くの一般市民が亡くなりました。

核エネルギーは非常に大きな破壊を及ぼしましたが、驚くべき利益を生み出す可能性も秘めています。広島の原爆は15キロトンで、ロサンゼルス地域の電力を1週間ほど賄うことができます。(注[22]) 他のエネルギー源と比較すると、原子力は環境に優しく、その効率性は並外れています。化石燃料の100万倍のエネルギーを1つの原子か

22. (注) Nikolas Martelaro, “Turning Nuclear Weapons into Nuclear Power,” (course work, Stanford University, March 23, 2017), ニコラス・マーテラロ,『核兵器を原子力に変える』(コースワーク、スタンフォード大学、2017年3月23日), http://large.stanford.edu/courses/2017/ph241/ martelaro2/.

ら放出することができます。原子力潜水艦は、1年間燃料を補給せずに海中を航行することができます。想像してみてください。

私たちが選ぶ道

核エネルギーと生殖器には共通点があります。どちらも世界の繁栄に貢献する可能性もあれば、荒廃をもたらす可能性もあります。私たちがそれらをどのように使うか次第です。性を悪用した影響は、核爆発の火災よりも微妙でしょうが、それでも社会に常に存在しています。

性が悪用されたときの破壊の例は、世界中に充満しています。政治家や宗教家、有名人が軽率な行動で人間関係や評判、キャリアをダメにしたというスキャンダルがニュースで報じられない日々はありません。献身と尊敬がない愛であれば、それは親密性の喪失につながります。性に対する神様のビジョンを理解していないと、人身売買やポルノ等の大きな社会的問題に対して効果的に立ち向かうことができません。この複雑な問題は、必然的に家庭、私たちの性に対する考え方にも影響を与えています。

私たちの人生の岐路は、常に大きな挑戦であると同時に、大きなチャンスでもあります。特に、性についての決断は、私たちの人生に大きな影響を与えます。私たちは、永遠に続く真実の愛と充実した性的関係から得る喜びを切望しています。転機が訪れたとき、私たちは自分が思い描く素晴らしい人生に向かって進むことができます。性は、原子力と同じように、非常に強力な力を持っていますが、本来の目的に沿った使い方をしなければ、豊かな実を得ることはできません。岐路に立ったときの正しい選択は、あまりポピュラーではなかったり、多くの人が通らなかった道かもしれません。しかし、それがすべての違いを生むのです。ロバート·フロスト氏は次のように言っています。

「二つの道が森の中で分かれていた、私は...
より少ない人が通った道を選びました。
そして、それがすべての違いを生んだのです。」

考察点·アクティビティ

- あなたが人生の重要な岐路に立たされたとき、あなたの決断がまったく異なる結果を導くことになったことを話してみましょう。
- 何が決め手になりましたか？誰かにアドバイスを求めましたか？どのようなアドバイスでしたか？
- 真のお父様が「生殖器をどう使うかが人生の大きな岐路である」と例えられたことについて、どう思われますか？

オデュッセイア

ホメロスの『オデュッセイア』は、「誘惑」という不朽のテーマを一部に取り入れたギリシャの古典です。この作品は、古代ギリシャ人にとってと同様に、現代の私たちにとっても重要なテーマです。また、イソップという有名な作家も、誘惑をテーマにした寓話を書いています。

「ある日、養蜂家が家の外のテーブルに蜂蜜の入った壺を置いておきました。甘い香りのする蜂蜜に、ハエの一家が集まってきました。蜂蜜を作っていた蜜蜂はそのハエに気づき、「気をつけて、そこは危険だよ。そこに行ってはいけない、動けなくなってしまう」と警告しました。蜜蜂は壺の近くに群がり、ハエが蜂蜜に付かないように壁を作りました。ハエはそれを突き破り、むさぼり蜂蜜を食べ羽や足が蜂蜜で重くなりベタベタになっていることに気づかなかったのでした。ハエの一家は飛ぶことも歩くこともできず、美味しくしかし危険な蜂蜜の中で溺れてしまいました。」

神様は、私たちが危険にさらされていることに気づかずに窮地に陥ってしまうような状況を避けるために、警告を与えています。真のお父様の性的誘惑に対する教えは、世の中に潜んでいるその危険性の教育が、どれだけ重要であるかを明らかにしています。

真のお父様のみ言

214. 「もし男性が神霊なる祈祷の境地に入れば、必ず女性が現れて試験をします。必ずこのようなことが起こります。修道の道を妨げてくるというのです。なぜですか。不法な愛によって歴史がふさがったからです。善悪の実を取って食べて堕落したという教理をもって二千年まで残ったというのは驚くべきものです。」(1971. 2. 17)

215. 「世間で盛んに行っている自由結婚は、サタンが人々を堕落させて神様の前に出ていけないようにするためにつくっておいたわななのです。そのわなに引っ掛かれば死に、サタンの支配を受けて餌食になるしかないのです。今日、西欧社会、特にアメリカは、自由結婚が盛んに行われることによって、真なる家庭を築くことができなくなっており、家庭生活に失敗した人々が日増しに多くなって、いくらもたたないうちに家庭をもたない人が多数を占めるようになるでしょう」(1993)

216. 「男性や女性のプライベートな部分は、毒蛇のようなものです。毒蛇の罠です。蛇がエバを誘惑したというのはどういうことでしょうか。それは、生殖器官のことです。世の中には、多くの女の生殖器が毒蛇よりも致命的ではないでしょうか？男性も、その蛇のような器官を使って、女性を誘惑したり、誘惑されたりしていないでしょうか。間違ってその餌に乗ってしまうと、大変なことになります。そのために、国が滅び、世界が滅びることもあります。それどころか、天国や永遠の命への道を閉ざしてしまうこともあるのです」。(1992. 2. 16)

217. 「堕落によって、サタンは心と体の関係に自己中心的な考えを注入しました。この毒キノコを人間の心に植え付けたのです。自己中心的な考えを抱くことは、美しい外見、世俗的な名声、地上での快適さをもたらすかもしれませんが、それは罠です。そこに入るのは危険です。なぜなら、それは中毒になり、逃れることのできない見えない苦難へと導きます」。(2004. 10. 26)

218. 「私が誰であるかということで、私が別の種類の人間であると思うのですか？私は誘惑に免疫があるわけではありません。私は、あらゆる種類の感覚をさらに受容します。もし私が自分をコントロールする方法を知らなければ、そのような刺激に対してあなたよりもさらに強く反応するでしょう。では、私の苦労はあなたより簡単だと思いますか、それとも難しいと思いますか？この感覚をコントロールして、神様と人類のために勝利を得るために、私は100倍も苦労したのです」。(1983. 6. 1))

219. 「サタンは女性の生殖器を完全に破壊し、それを使って男性を破壊します......ひとたび男性が欲望に火をつけると、尊厳や名誉を捨ててとんでもないことをするようになるのです」(2007. 12. 28)

220. 「生殖器の使い方を誤ると、家族や国を滅ぼすことになりかねません。それを誤用されるとこの世で最も恐ろしい敵は血統、つまり生殖器です。神様の国が引き裂かれるかもしれません。私たちの五感は、性欲に操られて悪用されてはいけません。心と体の絶対的な統一を成さなければなりません」(2001. 2. 18)

221. 「サタンが変装して、『あなたの好きなようにしてあげる』と言って誘惑してきます。男性は、最高に美しい女性が現れて、誘惑してくるかもしれません。この世では、その美しさに誘惑されずにはいられないでしょう。あなたはどうしますか？答えなさい。誘惑されるのは、心に余裕がなく、自身を安全に守ることができないときです。そうすると、サタンの手中にはまり込みます。あなたはどうしますか？何かに直面したら、原理に照らし合わせて考えてみてください」(1974. 2. 13)

222. 「そのような誘惑が来たら、どんなに美しい女性であっても、神様の前にひざまずいて、どうしたらいいかを尋ねれば、神様が導いてくれるでしょう。わかりますか？つまり、祈らなければならないのです。誘惑に負けそうになったら、決意する祈りをしなければなりません。例えば、女性の中には、「私は30歳を過ぎているから、いつ結婚できるのだろう」と考える人がいるかもしれません......。そこに、間違いなく、美男の男性があなたを誘惑してきます。彼は王様のように見え、何でもできる能力があるように見えます。あなたはどうしますか？笑い事ではありません。あなたは誘惑されがちです。その時、あなたは祈りの中で神様の前にひざまずかなければなりません。祈りの中で問いかけるのです。神様と私があなたに期待することは、サタンに勝ち、この世に勝つことができる人になることです。わかりますか？」(1974. 2. 13)

真のお父様のみ言に対する感想

真のお父様の人間の堕落に関する説明は、私たちの生活における性的誘惑の危険について貴重な洞察を与えてくれます。真のお父様は、最初の男女が生殖器を間違って使うように至った考えと行動について説明されています。アダムとエバは、無垢で全く純粋であったにもかかわらず、だましやうその影響を受けて性的誘惑に負けてしまったのです。自己中心的な考えを持つ狡猾な天使であるルーシェルが、エバに神様の言葉を無視して自分の欲望に集中するようにさせたのです。真のお父様は誘惑の犠牲にならないように、積極的に、忍耐強く、備えなくてはならないというメッセージを伝えています。

宗教の道を歩み始めると、必ず誘惑が起こります。自己中心的な愛は、注意していないと堕落してしまう罠です。それは常に私たちを苦しみに導き、逃れることは困難です。真のお父様は、生殖器を毒蛇に例えて表現され、サタンが美女や美男な姿で偽りの約束をして現れると警告しています。そして、お父様がどのようにしてあらゆる誘惑に遭い、最終的に神様と人類のために勝利を得たのか、その体験を語られています。神様に心を開いて、謙虚な気持ちで祈ると、導かれるのです。ぜひ神様に「私がどんな人になってほしいですか?」と尋ねてみてください。

現実化する

性の誘惑とその悲劇的な結末というテーマは、文学、詩、音楽などで数え切れないほどのバリエーションがあります。なぜこのようなテーマが人気なのでしょうか。観客や読者は、自分にとって現実的な話に心を動かされます。私たちの多くは、性的危害を受けたことのある人々を知っているでしょう。その人たちは、麻痺したような恐怖感と恥ずかしさを経験し、それが一生続くことになるのです。

性の誘惑に影響されて、間違った選択をしてしまうことはよくあることです。無垢な女子高生が、同年代の男子よりも賢く魅力的な年上の人に夢中になることがあります。彼女が彼と二人きりになると、それは予期せぬ悪い結果を招きやすいものです。また、夫が魅力的な異性の同僚と仕事後にも共に過ごすようになると、これも悪い結果を招きやすいのです。アダムとエバのように、自分の行動を正当化し、愛する人たちから隠れようとします。性欲は、強力で容赦なく、使い方を誤るとダメージを受ける結果になります。

21世紀は、かつてない規模の新しい形の性の誘惑を及ぼしました。インターネット･ポルノは、人々の性に対する意識にこれまでにない影響を与えています。何がそのような現象を引き起こしているのでしょうか？今日のポルノは、アクセス可能で(Accessible)、攻撃的で (Aggressive)、手頃な価格で(Affordable)、匿名で(Anonymous)、中毒性(Addictive)があります。この五つの「A」が、世界がかつて経験したことのない性の尊厳さに対する最大の脅威となっているのです。昔では、ソフトコア･ポルノは主に書籍、雑誌、映画でしか入手できませんでした。ポルノを見ようと思えば、外出して探さなければなりませんでした。しかし、多くの人達にとっては、そのような危険を冒してまで見る価値はありませんでした。しかし、インターネットの時代になると、露わな水着から下品で生々しいビデオまで、家庭内だけでなくポケットの中の携帯でも簡単に手に入れることができるようになったのです。何十億枚もの淫らな画像がウェブ上で無料で入手できます。インターネット上のポルノにアクセスするには、業者と直接顔を合わせる必要がなく、発見される危険性が低いのです。匿名性が高いため、責任を負う必要がないという考えが免疫になっているのです。

真のお父様は、私たちが性的誘惑に対してどれほど真剣にならなければならないかを強調しています。神様の心は思いやりと慈悲に満ちていますが、このような過ちから立ち直るのは困難です。私たちはポルノを見ることによって簡単に落胆し、短時間の性的喜びの後からくる「恥」を抱いてしまいます。自分の問題を認めて行動を変えるには、多くの勇気と自制心が必要です。落とし穴を完全に避けるのが賢明です。

オデュッセイア

誘惑は常に人を欺くものですが、必ずしも微妙なものではありません。ホメロスの古代物語『オデュッセイア』の中で、オデュッセウスは非常にあからさまな誘惑に直面します。

主人公のオデュッセウスは、家に帰ろうとしています。彼の帰還を阻もうとする嫉妬深い神々によって、多くの障害に遭います。オデュッセウスが直面する最も大きな試練のひとつは、彼の船が、悪名高い魅惑的なセイレーンが住む危険な岩島を通過するときです。セイレーンは破壊を目的とした生き物で、羽毛の生えた鳥の体と大きな女性の顔をしています。魅惑的なセイレーンの歌に魅せられた船乗りたちは、船を岩に衝突させ、命を落としてしまいます。島には死体が散乱していました。

「近付きなさい。有名なオデュッセウス「アカイアの誇りと栄光」よ、あなたが私たちの歌を聴けるように、船を私たちの海岸に停めなさい！すべての船乗りの中で、私たちの唇から流れ出る蜜のような声を聞くまでは、黒船で私たちの海岸を通り過ぎた者はいない、心ゆくまで聞いて、航海せよ、賢いものよ」。(注[23])

船が島に近づくと、オデュッセウスは巧みに船員たちに耳を蝋で塞がせ、聞こえないようにしました。そして船員たちに、自分には歌声を遮る為の蝋を塗らずにマストに縛り、島を通り過ぎるまで縛り付けておくように命じます。もし解いたら、彼は海に身を投げて溺死してしまうからです。船は無事に岩の島を乗り越え、主人公はさらにエキサイティングな冒険をするのでした。

誘惑にはさまざまな形があることを理解することが大切です。直面する誘惑は、オデュッセウスが直面したものよりも巧妙かもしれません。しかし、自己主管の喪失は、同じように感じられます。転覆する運命にある船に乗っているわけではないかもしれませんが、私たちの人生や大切な人の人生を台無しにしかねない現実的な危険に直面することがあります。だからこそ、オデュッセウスが船員たちに支えられたように、私たちも他の人に助けてもらう必要があるのです。神様は、私たちが危険を察知できるように、警戒することを望んでおられます。もし私たちが、興奮するような幸せな祝福結婚という遠い岸辺に向かって船出すると決めたなら、途中で遭遇する危険な岩を回避しなくてはなりません。

23. (注) ホメロス,『オデュッセイア』, ロバート・ファグルズ訳, (ニューヨーク：ペンギングループ, 1996), 2

考察点·アクティビティ

- 誘惑に負けたとき、又その後の気持ちはどうだったか話してみてください？
- 性的な誘惑から身を守るためにはどうしたらよいでしょうか。強い誘惑に直面したとき、誰に相談できますか？

不道徳と若者

この一世紀の間に、性に対する考え方は大きく変わりました。今では当たり前のように行われている性的行動の多くは、一世紀前には犯罪でした。当時は、女性が人前で足首を見せることはスキャンダルでしたし、結婚していないのに性行為をすると逮捕されることもありました。このような考え方の変化の最大の証拠は、数十億ドル規模のポルノ産業が広く受け入れられていることです。現在、十代の若者は、彼らの祖父母が一生かけても見られなかったであろう裸体の画像を一日で遥かに多く見ることができます。このようなポルノ文化から若者を守るにはどうしたらよいのでしょうか。

真のお父様のみ言

223. 「今、青少年の問題が深刻な問題です。エデンの園でアダムとエバが、青少年期に日陰で淫乱によって堕落し、フリーセックスを蒔いたので、収穫の時期である終わりの日には、必ず世界的に青少年たちのフリーセックスの風潮が蔓延する現象が現れるのです。終わりの日には、再臨主が神様の真の愛を中心として、堕落圏内に陥った人類を絶対愛圏内に引っ張り上げて救うという戦略を、サタンは知っています。サタンはどこにも愛の基準を置くことができないので、アダムとエバを堕落させるときに天使長がそうしたように、全人類をフリーセックスに追いやって全世界を裸にし、すべて死の方向に引っ張っていくのです。人類がすべて天使長の後裔としての末路に直面するようになるのです」(1996. 9. 15)

224. 「子供が幼い時期には、セックスについて知りません。最近の子どもたちは、成長して自分で感じ取る前に、テレビや親を通して恋愛を見てしまいます。アダムとエバの場合は、見るものがありませんでした。性的な愛を知らなかったのですから。. . . 自然な成長と発達によって、彼らは成熟し、愛を知ることができたでしょう。そうすれば、神様は彼らを結婚で祝福することができたでしょう。彼らはただ自然に成長し、お互いを知るようになったときに、神様は彼らを祝福しようとされたのです。今の子供たちの状態とは違います。大人になる前に物事を知ってしまいます」(1965)

225. 「サタンの血統を根絶するために、父母様がすべての準備をしておきました。堕落は、周辺に保護できるものがなかったので起きたのです。中高等学校で、純潔教育をすべて終えました。今、生徒たちの純潔が破壊されています。インターネットを見れば、話になりません。これをどのように救うのでしょうか。…すべての家庭の父母が、神様の代わりの立場で、息子、娘を保護しなければなりません。アダムとエバは、成長しながら、自分の相対に出会うための準備をしました。そうなるように約束をして立てたのに、待つべき成長期間の長成期完成級で堕落したのです。神様は、そこに法的位置を取ることができず、サタン世界内に落ちて堕落する危険性があるので、『取って食べてはならない』と警告していたのです」(1999. 4. 25)

226. 「また、どの国においても、若者の特別で貴い生殖器を悪用した性道徳の崩壊が起きています。 その若者が結婚し、その結果生まれる新しい男女の関係が、一国の将来の理想的な基盤を築き、その歴史の生死を決める絶対条件であることを明確に認識している以上、若者の性倫理の問題は、私たちにとって最も重要な問題であることはよく分かっています。今までこの問題を考えたことも聞いたこともない人は、なぜ絶対性という概念が必要なのかと思うかもしれません。絶対に必要です。わかりますか?. . . ようやく 絶対性の倫理が絶対に必要だということが分かったのです。それが崩れると、その国は滅びるのです」。(2009. 1. 2)

227. 「人類の歴史は、アダムとエバがまだ16歳の少年少女だった頃、神様の天理から離れて好き勝手に愛してしまった過ちから始まりました。現代の若者の堕落は、この原因から生じていると言えるでしょう。これは、秋になったら収穫するのと同じです。若い世代が好き勝手に行動して堕落するのは、先

祖が蒔いた間違った種の収穫です。統一教会は、これらの問題を完全に一掃し、取り壊すために登場したのです」（1998）

228.「今日は、本当に貴重な教えをお伝えしたいと思います。人々、特に若い人たちは、愛の器官の価値を正しく理解し、これを大切に扱わなければなりません。本来の愛の器官は、愛と生命と血統の中心であり、原点です。愛の完成した実りと新しい生命の受胎は、愛の器官によってのみ可能です。愛の器官を利用しなければ、親の血統を次の世代に引き継ぐことはできません。そのため、愛の器官は人間の体の中で最も重要な部分です。しかし、堕落した現代社会では、この愛の器官が悪用されるケースがあまりにも多いのです。世界的な傾向として、映画、音楽、ジャーナリズム、インターネットなどに代表される社会的·文化的環境が、人々を愛の器官の悪用へと導いています。若者はフリーセックスの波に簡単に流され、国を破滅させ、家庭は崩壊しています。これは悲惨な現実です。宗教指導者をはじめとする善なる指導者たちは、正しいことを支持する声を上げる時なのです」（2003. 7. 10）

真のお父様のみ言に対する感想

再臨主は、人類を救うために終末に来られます。神様の子らを支配するためのサタンの第一の武器は、アダムとエバに対して使ったのと同じ戦略を用いて、非原理的な、あるいは「フリー」セックスをするように誘惑することです。今日、インターネット·ポルノやソーシャルメディアは、若者が自分の生殖器を悪用するよう誘惑し、世界的な不道徳行為に拍車をかけています。このような規制されていない環境のために、子供たちは準備ができる前に「性」について学んでしまいます。真のお父様は、世界中の親たちに、神様の立場に立って子供たちを守り、祝福結婚に備えて子供たちが純潔を保つことができるよう促しています。青少年が絶対的な「性」倫理に基づいて生活するようになれば、善の世界の基盤が作られます。

現実化する

真の父母様は、神様が創られた家庭は、家族がお互いに健全な愛の関係を学ぶ愛の学校であると教えています。しかし、現在の実情では、大半の子供たちは性について他の情報源から学んでいます。20世紀後半に世界が経験した、伝統的な家族の価値観や性的規範の崩壊は加速しています。家族はバラバラとなり、若者は孤立化しています。

テクノロジーは、インターネット·ポルノを通じて、視聴者を偽りの現実に引きずり込むようなイミテーションの世界を作り出しました。画面上のピクセルは、現実の人間関係よりもはるかに刺激的に見えるものです。若者は、歪んだセックス観を目の当たりにし、非現実的な期待感を抱くようになります。その結果、人とのつながりや親密さを求める真の気持ちを満たそうと、空想の世界に深く入り込んでしまうのです。成長期にポルノを見てしまうと、セックスのイメージが歪んで作られてしまいます。驚くほどユニークな価値を持ち、その純粋さを尊重すべき貴重な存在として人を見るのではなく、快楽の対象として見るようになってしまうのです。さらに問題なのは、若い人たちが暴力や虐待を神聖な愛の行為と結びつけてしまうことです。今日の「一夜限り」の風習で、若者はまるでポルノサイトをクリックするかのように簡単に、満たされない相手を次から次へと変えていきます。これでは、本当の人間関係を築く能力が低下し、幸せで充実した結婚生活への希望を失ってしまいます。

真の父母様は、不道徳の根源は、私たちの最初の先祖がエデンの園で生殖器を悪用したときに始まったのが霊的な原因であると教えています。歴史は、この問題が原因で指導者や帝国が偉大な地位から転落した話で埋まっています。このようなモラルの欠如の中でも、社会は常に子供たちを守ろうとしてきました。しかし、今日の文化では、7歳の子供でもネット上で卑劣なポルノ画像やビデオを簡単に見つけることができるという、新たな事態が発生しています。

真の父母様はアダムとエバの過ちを覆すために、絶対性倫理のモデルとなり　またそれを教えるために来られました。真のご父母様は、青少年の不道徳という破壊的な傾向に対処し、祝福結婚における神様の愛の基準を進めるために、道なき道を歩み、純潔運動を始められました。私たちが健全な家庭と地域社会を作り始めれば、若者たちは自分たちの未来に希望を持つことができます。

村が必要

子供を育てるには村が必要という言葉を聞いたことがある人は多いでしょう。映画監督であり、一児の母でもあるレネ･メソラさんは、ブラジルのクラホ族の人たちと一緒に暫く過ごしました。ある日、彼女はクラホ族の母親と一緒にいたのですが、突然、その母親がレネの赤ちゃんを抱き上げ、母乳を与え始めたのです。この部族では、コミュニティの全員が子育てを手伝うべきだと考えています。三歳の子が一歳の子の面倒を見ることもよくあることです。子供は、自然や社会環境を意識するように教えられ、自然と人間の両方の関係を楽しんでいます。女性たちはお互いに出産を手伝い、すべての子供たちのしつけを分担しています。年長者が子供の行動を改める必要を感じた時、厳しい声ですが怒鳴らずに指摘します。メソラさんは記事の中で、クラホ族の子供たちは今まで出会った中で最も幸せな子供たちと述べています。(注[24])

他の文化でも、共同体の生活スタイルや子育ての方法について、同様のメッセージが表現されています。スワヒリ語の「片手では子供を養えない」という諺や、スーダン語の「子供はみんなの子供」という言葉は、コミュニティのメンバーが積極的に子育てに参加することを促しています。言い換えれば、お互いに依存し支援しあって、私たちは生き残り、繁栄することができるのです。

現代の若者は、ブラジルのクラホ族のような村を必要としています。私たちがお互いの子供たちに気を配れば、近所や学校、地域社会で若者を食い物にしている危険な環境を克服することができます。『ポルノ現象』に掲載されたバーナグループの調査によると、13歳から24歳の72%が少なくとも月に1、2回はポルノを見ていますが、そのほとんどが最初に見たのは意図せずだったと報告して

---

24. (注) Rene Messora, “A child raised by many mothers: What we can learn about parenthood from an indigenous group in Brazil,” The Washington Post, September 6, 2019, (レネ・メソラ,「たくさんのお母さんに育てられた子。ブラジルの先住民族から子育てについて学べること」, ワシントン・ポスト, 2019年9月6日) https://www.washingtonpost.com/ lifestyle/2019/09/06/child-raised-by-many-mothers-what-we-can-learn-how-other-cultures-raise-their-children/.

います。(注[25]) インターネット上のポルノはどこにでもあるので、子どもがポルノを見るかどうかが問題ではなく、いつ見るかです。親はそれに備えて、子どもを辱めないように対応する方法を学ぶ必要があります。

性の氾濫した世界で育つ子供たちの性に対する自然な関心を、親はどのようにサポートすればよいのでしょうか。ここでは、息子がテレビで際どい内容を偶然見つけてしまった母親の例を紹介します。

「私の息子の目の表情を昨日のことのように覚えています。愛する息子がチャンネルサーフィンをしていて、肌を露出した服を着たロックスターを見て停止しました。ロックスターの彼女はポルノのような目でテレビの画面に近づきました。幼稚園の頃の無邪気さはどこへやら、息子は女性の体の魅力に目覚めていました。息子がその映像をテレビで見た日、私はまず1から10を数えてから尋ねました。息子の興味を無視して一生恥ずかしい思いをさせるよりも、性に対する意識を認めてあげたほうがいいと思ったからです。息子に私は 「ねえ、彼女のことをどう思う?」と優しく尋ねました。彼はよく考えた後、最も奥深い返答をしました。「彼女は美しくなりたいと思っていると思うが、とても混乱しているね」。私はテレビを消して、彼に他にどんな素晴らしい考えを持っているのか聞いてみました。こうして、限りない 会話が始まりそれが彼が成人期に至るまで続いたのです。(注[26])

今日の世界の不道徳の方向性を逆転させることは不可能に思えるかもしれませんが、多くの人が参加すれば、転換点に到達して流れを変えることができます。私たちが正直で誠実な生活スタイルのモデルとなり、性に関して健全な会話をすることで、若者の不道徳の問題を解決することができます。村の他の人たちと協力すれば、学

25. (注) Debby Herbenick et al. “Sexual Behavior in the United States: Results from a National Probability Sample of Men and Women Ages 14-94.” The Journal of Sexual Medicine 7, no.s5 (2010): : 255-65, doi: 10.1111/j.1743-6109.2010.02012.x., (デビー・ハーベニック 他,「米国における性行動: 14~94歳の男女の全国確率標本からの結果」ジャーナル・オブ・セクシャル・メディシン)

26. Dannah Gresh, “Healthy Sexuality: Sending the Right Message to Your Kids,” Focus on the Family, June 27, 2017, (ダンナ・グレッシュ,「健全な性生活:子供たちに正しいメッセージを伝える」,フォーカス・オンザ・ファミリー, 2017年6月27日), https://www.focusonthefamily.com/parenting/healthysexuality-sending-the-right-message-to-your-kids/.

校や政府、メディアからの誤った情報に対抗することができます。真のご父母様は、祝福結婚に備えて若者が純潔の生活スタイルを受け入れる新しい文化をつくる運動に参加するよう呼びかけています。

考察点·アクティビティ

- 子どもたちを守り、性に対する健全な理解を得るために、コミュニティとしてどのように協力していけばよいのでしょうか。
- 若者が日常的に接している文化の中で淫乱なメッセージの例を話してみてください。
- 自分の子どもが「ポルノを見ていた」と言われたら、何と答えますか?

家庭と世界における不道徳

1960年代にアメリカで、性の革命が嵐のように起こりました。アメリカに続いて他の西洋諸国の人々、そして最終的には世界のほとんどの人々が、あらゆる性の制約から「解放」されることを自らに許可しました。これが、現在の性の文化の始まりです。今までは禁止され避けられていたものが、世界規模で受け入れられ、求められるようになったのです。性の革命によって自由になる期待がありましたが、かえって男女を破壊的な行動の奴隷にしてしまったのです。フリーセックスの生活スタイルは、人々から夫婦の関係を通してのみ経験できる、深く充実したつながりを奪いました。

真の御父母様のみ言

229. 「悪の実を植えた人類の先祖によって、悪の結実となったものが青少年の淪落と家庭破綻です。アダムとエバが堕落することにより、家庭が破綻しました。その結実が世界的に成し遂げられたので、それこそ、今は大患難時代です。国や世界がすべて患難なのですが、一番の根となる家庭が、患難を迎えたというのです。どこに行くべきかを知りません。おじいさんがおじいさんの役割を果たせず、父母が父母の役割を果たせず、夫婦が夫婦の役割を果たせず、子女が子女の役割を果たせない時代になりました。そこに個人主義思想が位置を占め、神様もなく、世界もなく、国もなく、社会もあり得なくなったのです」真のお父様（1997. 4. 8)

230. 「今、『世界化時代が来た』と言っていますが、何を中心としてそのように言うのでしょうか。経済や学問、体育などを中心としてそのように言っていますが、(理想)家庭の世界化であることを知らずにいます。世界の問題は、経済問題でもなく、政治問題でもなく、家庭問題だというのです。特に、先進国家では家庭がすべて壊れていきました。フリーセックスが家庭をすべて壊してしまったのです。ですから、(理想)家庭の世界化運動を知らなければなりません。真の父母が教えてきた理想家庭とは何かを、知らなければならないというのです」真のお父様(1996. 5. 5)

231. 「夫婦の間で永遠で不変な愛を求めているのに、なかなか実現しないのは、アダムとエバが偽りの愛と姦淫によって起こした神様からの離反、堕落が原型となっているからです。原罪が世代を超えて継承され、聖書が「終わりの日」と呼ぶように、広く蔓延している不道徳や家庭崩壊を目の当たりにしているのは、このためです。神様が最も嫌いなのは、人が愛の法則に反して不倫することです。...これらの現象は、飢餓や戦争、どんな病気よりも怖いものです。なぜでしょうか？これらの問題は、今日の私たちだけの問題ではなく、未来の世代における人類の希望を破壊する問題なのです。現在の不倫は、私たちの子孫に直接的な影響を与えます。...不倫、性の乱れ、離婚は、天の法則に反する重大な過ちです」。 –真のお母様 (1995. 8. 23)

232. 「あらゆる違反行為の中で、神様を最も苦しめるのはフリーセックスです。フリーセックスの世界は、神様の意志に絶対に反しています。愛は、純粋な感情を刺激することで生まれる必要があります。しかし、フリーセックスには純粋さや真の感情が全くありません。不倫や離婚の残酷さに触れたことのある人はどれくらいいるでしょうか。一夜限りの関係のどこに神様がいるのか。子供が親や親戚から性的虐待を受ける悲劇はどうでしょうか？フリーセックスは子供をそれ程犠牲にする価値があるのでしょうか？」真のお母様(1993. 7. 28)

233. 「文学、映画、そしてメディアは、フリーセックスを強調し、煽って来ました。今や政治家、ビジネスマン、作家、ジャーナリスト、宗教家など、あらゆる分野のリーダーが一丸となって、フリーセックスに憧れる風潮を取り除かなければならないのです。この病気は、個人、家族、そして国家を蝕んでいます」真のお父様(2004. 10. 26)

234. 「私たちが今生きている世界を見てください。世の中の人々は、極端な利己主義の罠にはまり、物質的な利益を求めています。価値観を失い、自己満足を求めるあまり、堕落のどん底に引きずり込まれています。世の中にはアルコール依存症が溢れています。薬物中毒やフリーセックスだけでなく、動物の世界では見られない近親相姦をしても堂々としている人もいます。女性、祖母、母、妻、娘を蹂躙してまで、人間の顔をした獣が自由に歩き回る世界になっていますカップルの間では相対者の交換が横行しています。このような状況は、間違いなく、道徳の破壊の頂点であり、堕落した行為の最後での結果です。この世界は地上地獄になってしまい、私達は、神様が天地創造されるときに思い描かれた理想の完成世界を、夢見ることさえできなくなりました。真のお父様（2006. 4. 10）

235. 「自ら蒔いた種を刈りとるということわざの真実は、私たちの人生が証明しています。アダムとイブはエデンの園でどんな種を蒔いたのでしょうか。不倫な性的関係によるフリーセックスという種を蒔いたのです。だから、聖書には堕落した後、下半身を隠したと書かれているのです。収穫の時である『終わりの日』には、若い人たちの間でフリーセックスが横行することが、世界中で明らかです。サタンは、この性の乱れによって、神様のもとに戻ることを妨げるための最後の作戦を実行しているのです。サタンの目的は人間を滅ぼし、地上に地獄を永続させることです」。－真のお父様(2004. 10. 26)

真のご父母様のみ言に対する感想

私たち全て間違いなく、なぜ世界が、性の悪用に関連する恐ろしい様々な問題にあふれる地上地獄になったのか、という疑問に悩まされてきました。真のお父様は、この問題の原因について独自の見識をお持ちです。その原因がアダムとエバが非原理的な性関係を持ち、フリーセックスの種を蒔いたことから始まったと説明しています。真のお父様はフリーセックスと絶対「性」を対比するのです。フリーセックスには親密さがなく、人々を極端な自己中心主義の罠に陥れます。家族は崩壊し、破壊されるのです。

このような性の風潮を称賛する文学や映画、メディアが増えていることに、多くの人が悩んでいると思います。あらゆる違反行為の中で、神様を最も苦しめるのは、性の悪用であると真のご父母様は説明しています。絶対「性」は、平和な世界の礎となる、健康で愛に満ちた輝かしい祝福家庭を築くための神様の方策なのです。私たちは、困難に直面しても一丸となって立ち向かうことで、この世界観を支え、人々を鼓舞することができます。政治家、ビジネスマン、作家、ジャーナリスト、宗教家が協力して、フリーセックスに取りつかれた不健全な風潮を取り除き、神様が思い描く世界を創り上げる一員とならなければなりません。政治や経済の改革だけでは、不道徳の問題は決して解決しません。世界は真の家庭の価値観を必要としており、真の家庭の価値観は「私」から始まるのです。

現実化する

真の家庭の価値の復活は、真の父母様の宣教の主な目的です。神様の本来のデザインは、家庭という基台を通して善と真の愛を広げることでした。真の父母様は家庭を「愛の学校」と呼びましたが、これは家庭が子供に真の愛を、与え受けすることができる人間に育てるための最も自然で健全な場所であることを意味しています。技術や医療の進歩は、人間の効率や寿命を向上させますが、人間の幸福や幸せの分野では、それに匹敵する発展はありません。現実には、片親家族　の増加や結婚の減少など、モラルの危機が拡大しています。

家族崩壊の流れを止めようとする試みは、文化を根本的に変えるには十分ではありませんでした。結婚の価値や伝統的な家庭の価値に対する人々の態度は、依然として曖昧なままです。同棲、片親の家庭、離婚は、子供に悪影響を与えるという証拠が増えているにもかかわらず、広く受け入れられ、普通となっています。これらの問題に対処するための指針となるべき宗教団体は、低迷するアメリカの家庭をどのように再生させるかについて意見が分かれており、再生の必要性があるのかどうか疑問視する声もあります。人生の浮き沈みがあっても、家庭は永続的な人間関係の中で私たちを見守り、成長させてくれます。

家庭における真の父母様の教えの中心は、家庭は本質的に「愛の学校」であるということです。家庭は、道徳的、倫理的に成長するための第一の学校であり、私たちが最も深く抱く価値観の源でもあります。家庭に対する神様のデザインとは何でしょうか？理想的な家庭とは、神様がパートナーとして住まわれる場所であるというのです。祝福家庭は、神様の国を建設するという神様の聖業に参加し、自分の不完全さを克服して真の愛の家庭を成すのです。家庭が神様に身を委ねて、他のために生きるとき、神様は、家庭に愛を与え、重荷を軽減し、人間関係を転換してくださるのです。

今日の全ての、特に家庭の中に存在する悩みを考えてみるとき、神様は私達を清浄し、問題を解決する何かをしてくれるに違いないと思わずにはいられません。解決策がないと思われていたところに、世界中の良心的な人々の、解決策を見出そうとする素晴らしい努力に、私たちは希望を見出すことができます。

清掃

御存じの通り炭酸飲料のボトルからマイクロプラスチックまで、海はゴミで溢れています。そのために、海に生息する多くの動物や植物が死んでいます。国連環境計画（UNEP）によると、毎年1,300万トンのプラスチックゴミが海に流れ込んでいます。それだけでなく、ビーチはゴミによって破壊されています。この問題を解決する方法はあるのでしょうか？

ムンバイの海岸に五フィートの高さのゴミの山があるにもかかわらず、弁護士であり環境保護活動家でもあるアフロズ·シャー氏は、この問題を解決するための挑戦を引き受けました。これは、国連によると「世界最大のビーチ·クリーンアップ·プロジェクト」として知られるようになりました。2015年、彼は近所の人の助けを借りて、ビーチのゴミ拾いを始めました。やがて彼のもとには、貧富の差を問わず、ビーチを守ろうとする1,000人のボランティアが集まってきました。ゴミがなくなった後は、50本のココナッツの木を植え、トイレを設置しました。シャー氏の目標は、5,000本のココナッツの木を植え、手つかずのココナッツラグーンを元の状態に戻すことです。

これは、一人の人間がゴミ捨て場をパラダイスに変えるためにできたことの一例です。私たちは、ある少女が浜辺で取り残されたヒトデを集めて海に戻していたという話を思い出します。その様子を黙って見ていたおじいさんが、「お嬢さん、この先、何キロもの浜辺にたくさんのヒトデがいることを知らないのかね？それを海に戻しても意味がないんだよ。海に戻しても何も変わらないよ」。彼女は1匹をそっと海に戻した後、「この一匹のためには、なったわ！」と知恵深く答えました。

乗り越えることができないように思える環境問題にしても、ビジョンのある人が取り組めば希望を持つことができます。同じように、性的倫理の問題を見ても、この歴史的な流れを逆転させて道徳的な社会を作ることは不可能に思えるかもしれません。神のビジョンはあまりにも広くて大きな痛みや苦しみ、過ちの下に埋もれているように見えます。私たちは何かを変えたいと思っていますが、一人の人間が物事を変えることはできないと思いがちです。しかし、真のお父様はこの課題を認識され、その解決策として絶対的性倫理に基づいた純潔運動を展開したのです。

真のお父様は、1996年に重要な演説をされ、人々を驚かせました。真のお父様は、世界的に蔓延している不倫淪落を打ち破るために、各国の首脳が自国に戻って国民に絶対「性」について教えるように指示しました。このお父様の明確な理解と勇気があるからこそ、希望を持てるのです。私たちだけで世界全体を変えることはできないかもしれませんが、少なくとも小さな部分を変えることはできます。自分の努力が役に立っていると信じていた少女のように、私たちも自分の行動が混乱の解消に貢献すると信じることができます。私たち一人一人が純潔生活の模範となることで、社会、更にそれ以上の世界にまで波及効果をもたらし、神様が本来意図した世界を築くことができるのです。

考察点·アクティビティ

- あなたの家庭や将来の家庭が、「愛の学校」であることを実践する方法について、何かアイデアはありますか?
- 前向きな変化を与える刺激的な人物やグループの名を挙げてみましょう。
- 次にビーチや公園に行く際は、全員分のゴミ袋を持参して、ゴミを拾いましょう。

第六章:
復帰

親から教わるセックスについて

あなたが子供の頃、親はあなたに性について何を教えましたか？ほとんどの人は、このトピックについての親との会話を覚えていないのではないでしょうか。人類の歴史の中で、性は恥ずべきものとして扱われてきました。その結果、大多数の親は子供に性について話すことを避けてきました。親も子も恥じらいがあり、この話題から遠ざかってしまうのです。しかし、性がいかに貴重なものであるかを考えれば、これは親が子供に与える最も重要な教育と言えるでしょう。

真の御父母様は祝福夫婦を夫、妻として生活するための準備教育をされたときに、神聖な伝統を確立されました。パク·ジョンヒョン牧師は真のお父様が統一教会の初期の祝福カップルに提供された親密教育について次のようにに語っています。

「私は430組のカップルの祝福結婚式に参加しました。(注[27])　当時、私は韓国の田舎で教会のリーダーをしていました。真のお父様が真のお母様と一緒に私の地域に来られました。真のお父様は、430組の祝福カップル全員を招集されました。私たちは、40日間の分別期間の真最中でした。(注[28])　真のお父様は私たちと一緒に座り、夫婦の性的関係について教えてくださいました。本当に、その時私は真のお父様にとても感謝しました。真のお父様は誠に私の父であると思いました。真のお父様が人間の生活の最も深い秘密を教えてくださったので本当に私の親でした。私の肉親でさえも、このように教えてくれませんでした。しかし、真のお父様は指導してくださったので、真のお父様に涙ながらに深く感謝したことを覚えていま

27. (注) 祝福結婚式は通常一年に一回開催されます。真のご父母様が主礼を務め、何千組ものカップルが参加して祝福の誓いをします。

28. (注) この神聖な分別の期間は、神様への感謝と恩返しのためのお供え物として考えられ、この期間に夫婦は家庭を出発する準備をします。

す。」（注[29]）

真のお父様のみ言

236. 「男性は、男性の生殖器を千年、万年きちんと守る主人にならなければならず、女性は、その生殖器を千年、万年きちんと守る女性になりなさいと教えるのが文総裁です。そのようにこれを間違いなく守るようにして、そのようにさせる責任を負った人が、「真の父母」の名前をもった父母だというのです。真の父母は簡単です。浮気者の女性と男性を連れてきて、浮気をせず絶対的に節操を守る男性と女性にすることができる力をもった人が真の父母です」（1995.8.28）

237. 「内的な夫婦関係において、男女では必要な時間が違います。女性は男性の2倍から5倍遅いのです。中には5倍以上も遅い女性もいます。そのため、夫婦間の性的関係があっても、夫婦間の愛の醍醐味を知らずに人生を終えてしまう女性もいます。それは男性のせいです。夫婦の営みが満足のいくものでなければ、その負の波動は一日中、あるいは一ヶ月間続くことになります。性的な満足感は、女性の健康のために絶対に必要です......このことをすべての人に教えなければなりません。父親は息子を、母親は娘を教育しなければなりません。娘たちがそれを知らずに結婚してしまうと問題になります。わかりますか？ですから、私はここで皆さんにしっかりと教育しています。周りの女性に『あなたはどうしているのか』と相談したり聞いたりして、まだ絶頂を感じられないから夫に愛の時間を延ばしてほしいと思ったら、前戯をもっと長くしてもらうといいですよ。わかりましたか？これは大事な話です」（1993.12.21）

238. 「統一教会の創始者である私が、公の場で生殖器について語るべきではないと考える人がまだいるかもしれません。通常、キリスト教の牧師は、説教の中で生殖器について話しません。神様は人間の生殖器を神聖な場所として創造されたの

---

29. （注）Joong Hyun Pak, "Absolute Sex-Exploring Its Meaning" (sermon, Belvedere Estate, Tarrytown, NY, February 1, 1997),（パク・ジョンヒョン，説教「絶対性―その意味の探求」，（ニューヨーク州,テリータウン，ベルベディアエステート，1997年2月1日），tparents.org, http://www.tparents.org/ UNews/Unws9702/jpak9702.htm.）

であって、アダムの堕落以降にそうなったのではありません。わかりますか？聖なる宮殿であるはずなのです。神様の本来の計画では、生殖器は愛の宮殿なのです。これが真実なのです」(1997. 6. 5)

239. 「『教主の先生があのようなことを教えるなんて、統一教会は下品なやつらだ』と悪口を言っているでしょう？　下品なやつだと言ってもいいのです。偽物のメダルをもらうより、本物の金メダルをもらうほうが良いではないですか。それで、男性と女性の愛というものを中心として、男女の生殖器官は、創造主から受け継ぎ、先祖から受け継いだ、変わらない、ただそのまま連結された礼物です。神様も侵犯しない、貴い礼物です。先代たちもこれに背けない、貴い礼物です。これを侵犯する時は、天理の大道の中心となる愛の本宮を破綻させる悪魔の血肉となるのです。純粋な本質として、永遠の真の愛を中心とした、その基台から生まれたのが生命の本宮です。そして、新しい血統の本源地です。この者たち、しっかりしなければなりません。私が教主の先生ですが、しっかりしなければならないというのです。どこがですか。生殖器です！　その生殖器は、何のために生まれたのですか。金なにがしのために生まれたのではありません。天地の大道のために、天地の大摂理的経綸のために私に下さったのです。将来、人間世界に、理想世界がどのようにして訪れるのでしょうか。生殖器官を正しく使うことができる道理を明らかにしてあげない限り、世の中は滅びます。平和の世界を取り戻すことはできません」(1989. 10. 3)

真のお父様のみ言に対する感想

宗教指導者が公の場で性について語るのは不適切だと感じる人もいますが、真のお父様はそれをご自身の使命の重要な部分と捉えておられました。真のお父様は、私たちの生殖器が神様からの貴重な贈り物であることを思い出させてくれます。生殖器は愛と命と血統の本源宮であり、個人の快楽のためだけではなく、夫婦が最も深い親密さを得るために創られたものです。神様が男性と女性の生殖器を神聖なものとしてお創りになったのですから、夫婦は永遠に貞節であるべきです。

真のお父様は、家庭は神様が子供たちに生殖器の神聖な価値を学ばせようとされた場所であると教えておられます。子供たちは結婚する前に、配偶者を喜ばせる方法について両親から教育を受けることができます。夫婦が満足のいく性的関係を築けなければ、結婚生活は悪化します。寝室で自分のしてもらいたいこと、嫌いなことを上手に伝えることを学べば、満足感とつながりが深まります。すべての人が天的「性」を理解し、実践してこそ、神様の理想とする平和な世界が実現するのです。

現実化する

愛の学校

真のお父様は、家庭を「愛の学校」と呼んでいますが、それは家族の一人一人があらゆる種類の愛を学ぶ場所であるからです。子供たちは幼いとき、親から愛を受け、兄弟姉妹を愛する練習をします。

ほとんどの親は子どもと性について話すことを避けていますが、親は子どもに生殖器の貴重な価値について教育する必要があることを理解することは大切です。年齢に応じた指導を行うことで、親は子どもに健全な性の見方を植え付け、子どもが重大な過ちを犯したり、将来に悪影響を及ぼす破壊的な習慣を身につけたりすることを防ぐことができます。

「スクール　オブ　ラブ」は、性に関する家庭教育の必要性に応えて「ハイヌーン」が始めたものです。その目的は、親たちが、子供の幼い時から、天的「性」について率直に会話ができるように、力付けるものです。生殖器が、将来の夫または妻とだけで経験する愛、自分の未来の家族を作る神聖な場所であることを子供たちに教えるためのオンライン教育が用意されています。親が子供たちと一緒にレッスンを学び、話し合うことを勧めます。また、ポルノや婚前交渉の危険性についても、愛情を持って指導しています。性または性行為についてどのように話したらよいかわからないという両親には、このような会話を容易にするためのサポートがあります。

子供たちは、自分の性的欲求が自然であり、神様から与えられたものであることを知ります。子供たちは、現代の、性が満ち溢れた世界でどのように自分の衝動を管理して、純潔を保持するかの前向きな習慣を作ります。子供たちは、天の「性」に対する成熟した理解を深め、将来の結婚生活でこの素晴らしい贈り物を経験することを待ち望むのです。

性の交わりは、結婚生活において、美しく、刺激的で、エキサイティングなものです。充実した性生活を送ることは、結婚生活にとって重要であるだけでなく、子供たちにも非常に希望的な手本となります。親が幸せに愛し合っている姿を見れば、子供たちは自然と自分の人生にも同じような祝福を求めたくなるでしょう。真の父母様の愛の学校である家庭の構想に沿って、真なる親子関係を持つ素晴らしい家庭を作り、神様の理想的な世界の計画に貢献していくのです。

叫び

韓国の鮮鶴大学院の博士課程に在籍するチャン･ユンヒさんはこの可愛らしいストーリーを話してくださいました。彼女はカナダの出身で、ご主人は韓国人です。

私は祝福二世で（注[30]）、2009年に祝福結婚を受けました。夫と私の間には4歳から11歳までの五人の子供がいます。子供たちが大きくなってくると、異性について話したり、「誰が好きか」「誰が良い人だと思うか」などの質問をしたりします。このような話題は、子供たちが大きくなったときに役立つようにと、いつも明るく楽しいものにしています。私たちが反対する人を好きになることに罪悪感を感じてほしくないし、私たちを信頼して、私たちがパニックに陥ることを心配せずに深い感情を分かち合ってしてほしいと思っています。

娘がウォルト･ディズニーのキャラクターのカップルがキスをしている絵を描くなど、愛に興味を持っていることを察しました。娘は息子たちとは違い、男女が愛を表現したり、親密になったりすることに常に興味を持っていました。また、赤ちゃんはどうやって生まれるのか、どうやって体から出てくるのか、といったことも質問してきました。「セックス」に関する話をするまでは、娘にも息子たちにも、パパとママが10秒以上キスをすると、ママのお腹の中で赤ちゃんが育ち始めると話していました。そして後日、娘には「パパの体の中に種があって、それがママのおへそに触れると赤ちゃんが育つのよ」と話しました。娘は面白いと思いその答えを受け入れましたが、満足していないようでした。

30.（注）祝福子女とは、祝福結婚を受けた夫婦の間に生まれた子供を指す言葉です。

彼女が小学3年生の時、ランドセルの中に学校図書館の漫画本が入っていました。その本には、少女に男性が近ずき、男性の手が少女の太ももを伝っている絵が描かれていました。その絵は、少女のスカートがめくれ、パンティを露出しているものでした。学校に非常に憤慨し、なぜこのような漫画本が図書館にあるのかを詰問しました。しかし、その返答は私を静ませ納得させるには不十分でした。この時点で、親である私が娘に愛と「性」について教えなければならないと感じました。歪んだ愛の概念が娘の心に刷り込まれる前に、早く教えなければならないと思いました。男と女の性的な関係というイメージを、幼い子供の心に残したくなかったのです。こんなに早くから子供に「性」の話をするとは思ってもみませんでしたが、他に選択はありませんでした。男女の愛が肉体的に表現されるのは、パパとママのような夫婦の間だけであり、祝福を受けて二人が一緒になることを、親が、許可したときだけであることを説明しなければならなかったのです。

そこで娘を私の部屋に呼びました。横に解剖学の本を置きました。娘が学校から持ってきた本は、ママとパパが娘に学ばせたい愛について教えていないので、読ませたくないことを伝えました。会話中に弟たちは、交代でシャワーを浴びるために、裸で私のバスルームを出たり入ったりしていました。娘はいつも弟たちの性器を見ていたので、多少は感覚が鈍っていたのでしょう。彼女は弟たちがたまに勃起しているのを見て、「ママ、なんでコチュ（韓国語表記：男性のペニス）があんなに大きくなってるの！」といつも笑って言いました。

娘に今度は本当の意味で赤ちゃんがどのように作られるのかを説明すると言いました。娘は聞き入っていました。私は「男性のペニスが大きくなって上に突き出てくるのは...」と言って、男性のペニスが勃起しているときとしていないときの絵のページを見せました。そして、女性の体内生殖器の絵を見せました。私は続けて「ここを見て。女性の体に穴が開いているのは、男性のペニスが大きくなって女性の体の中に入り、男性の「コチュ」から赤ちゃんの種が出てきて、それを女性の体に残すのよ」。次のページには妊娠8ヶ月の女性の絵でした。娘は目を大きく見開きました。裸の兄弟が私の部屋から飛び出してくると、娘は両手を、エドヴァルド·ムンクの絵画『叫び』のように、こめかみの横に突き上げたのです。私が話したことにかなり動揺しており、数分間、裸の兄弟を見て“あーママー”と叫んでいました。娘はそれが下品で、絶対に結婚したくないと言いました。

今、娘は女の子の友達に興味を持ち、自分の手で何かを作ったり、勉強や読書をしたり、男の子とは距離を置いています。彼女が私たち夫婦の愛情と尊敬に満ちた付き合い方を見ているうちに、将来の夫との間に愛情に満ちた関係を築きたいと思うようになってくれればと願います。今のところ、私たちの「性」の会話によって、彼女が男の子を寄せ付けないようにしていることにとても満足しています。もしかして、このお話が他の親にとって、彼らの子供と性に関する会話をするための自信になればと思います。

考察点·アクティビティ

- 子供たちが「性」について学ぶには、どのような方法が良いと思いますか？
- あなたの子供たちに性教育をするために、どのような健全な方法が考えられますか？もし彼らが成人であれば、どのように彼らが性的に充実した結婚生活を送り、「性」に対して彼ら自身の子供を教育するサポートができますか？
- 子供たちとのセックスに関する会話から「気まずさ」を取り除くにはどうしたらいいでしょうか？

メシヤはなぜ来るのか？

私たちは、超自然的な力を持つヒーローが世界を救うという大ヒット映画を見ます。映画の最後に世界が破壊から救われると、私たちは未来への希望を感じます。歴史的に見ても、メシヤは世界を救うためにやってくる超人であると考えられてきました。イエスの時代、ユダヤ人はメシヤが自分たちの敵を倒し、軍事的に征服すると考えていました。今日のクリスチャンは、イエスがすべての信者を救うために戻ってくると信じています。メシヤが何をするのかについて多くの主張があるにもかかわらず、メシアは生殖器を復帰するために来ると宣言した人はいませんでした。それはどういう意味なのでしょうか？なぜ生殖器を復帰させる必要があるのでしょうか。それがどのように世界を救うのかでしょうか。

真のお父様のみ言

240. 「今までサタンのために生殖器官の主人が誰かを知らず、どのような由来で創造されたのかということを知らなかったのですが、それを明らかにするために、天地の邪悪でよこしまなサタンの乱闘場をすべて掃除するために、私が旗を掲げて立ち上がったのです」（1989. 10. 3）

241. 「サタンはフリーセックスを通して、ただの一人も神様の前に帰れないように、言い換えれば、全人類を完全に堕落させて地上地獄をつくろうとするのです。今日、私たちが生きているこの世界が、地上地獄となっていく世界でなくて何でしょうか。したがって、このように地上地獄になったこの世界と一八〇度異なる、正反対の道を求めていけば、天国に行く道があるのです。再臨主が来て、この世の中を救ってくれるのも、正にこのような一八〇度反対の道を教えて、天国に導くことなのです。それでは、フリーセックスの道と一八〇度異なった正反対の道とはどのような道でしょうか。偽りの父母が現れて作った道がフリーセックスの道なので、真の父母が現れて、この間違った道を正してあげなければならないのです。神様は干渉することができません。この地のいかなる主権や軍事力、経済力、政治力でも手をつけることのできない問題です。偽りの父母によって引き起こされたことなので、真の父母がメスをもって手術しなければ、決して人類は救われる道はないのです」（1996. 9. 15)

242. 「天地父母が一つになるとき、安らかに休むことができる家、堕落がなかった家に来て、絶対「性」が出てきます。天地人父母になって、絶対性という言葉を語るようになるのですが、その性は個人的な性ではありません」(2009. 4. 10)

243. 「家庭で結婚を誤って、血統が一八〇度ねじれてしまったので、真の父母が来て結婚させ、一八〇度原状に戻すことによって、天国に行く道を開いてあげるようになるのです」(1996. 9. 15)

244. 「真の父母様だけが地球上の問題を解決できると思います。私は何世代にもわたって、「性」の不道徳に関する体験と内容が人々に悪影響を与えることを教えてきました。絶対的な「性」倫理が絶対に必要であることをよく知っています。わかりますか」(2009. 1. 2)

245. 「つまり、再臨主は、絶対不変の王にならなければならなかったのです。絶対的な「性」倫理を守るという意味では、私が一番となったのです。今、この王位を侵すことはできません」(2007. 12. 28)

246. 「生殖器を誤って使いました。それを革命しなければなりません。ですから父母です。母を立てて女性を動員するのです。「女性連合」を動員して、母の位置の定着です。そこに再臨主が来るのではないですか。メシヤは何をもってきますか。絶対セックスをもってくるのです。絶対、唯一、不変、永遠のセックス完成のために来るのです」(1996. 9. 22)

247. 「私は、神様に召命された人達又その失敗した出来事を発見し、神様の復帰摂理の歴史を発見し、たくさんの涙を流しました。私は原理を理解するだけでなく、原理に従い生活したのです。(注[31])　アダムとエバの堕落に至っては、まるで自分のことのように感じました。アダムの堕落を見た神様の悲しみを感じました。アダムの悲しみを自分の中に見つけました。これはアダムの話ではなく、私の話なのです」(2000)

248.「天地人父母様の天宙安息圏における、絶対「性」、真のお父様の愛の種、真のお母様の胎内の卵子、この三つの一体化によって、真の血統の権利を体現する勝利的天宙の再現を真の父母の名において改めて宣言し、宣布します」(2009. 1. 15)

249.「この道を見つけるために、私が何百回も死を乗り越えたことを理解しなければなりません。私は何百回も神様を泣かせました。歴史上、私以上に神様を愛した者はいない。だからこそ、たとえ世界が私を滅ぼそうとしても、神様が私を守ってくれるから滅びないのです。私が教える真理圏内に足を踏み入れれば、あなたも神様が共に保護してくださいます」(1996. 9. 15)

真のお父様のみ言に対する感想

真のお父様は、涙ながらに祈りながら、生殖器の神聖な価値を発見され、神様の最初の息子･娘が生殖器を誤用したとき、神様がどれほど悲しまれたかを悟りました。それ以来、神様はこの恐ろしい過ちを覆し、人類の歴史の悲劇的な流れを変えることができる人を探してこられました。エデンの園で失われたものを回復するために、神様はメシアを送る必要がありました。メシアは何を持ってくるのでしょうか？絶対「性」です。真の父母様は血と汗と涙を流して、男女の絶対的、唯一、永遠的な生殖器を復帰することを決意されました。その苦難の道は、絶対「性」について語るための基礎を築きました。神様が最終的に子供たちと一緒に住むことができる地上天国を建設するために必要なものでした。

スーパーマン

真のお父様の使命は、よく知られたヒーローであるスーパーマンに例

31.（注）『統一原理』に詳しい人は、このように略すのが一般的です。

えることができます。スーパーマンは、「私はスーパーマンである。真実、正義、そして未来のために来た」というおなじみの言葉で自分が何者であり、何のために存在しているのかを示しています。シャツにある大きな「S」は、クリプトンの希望のシンボルです。超能力を持つスーパーマンは、犯罪や不正が蔓延する世界の救世主となります。スーパーマンは幼い頃から自分の使命を自覚しており、生みの親であるジョー･エルから「お前は人間として育てられたが、彼らと同じではない。彼らは偉大な人間になれる。カル･エルよ。人間はそうなりたいと願っている。ただ、道を示す光がないだけなのだ。私は人類の善の可能性の故に、あなたを送った、私の一人息子よ。」と彼に言いました。

2006年に公開された映画「スーパーマン．リターンズ」では、5年ぶりに復活したヒーローが、愛する地球の人々を救いたいという思いを抱き続けています。神様のような聴力を持つ彼は、助けを求める人々の声を聞き、日々素晴らしい救助活動を行います。もちろん、そこには文明を破壊して何十億人もの人々を殺そうと企む悪党、レックス･ルーサーがいます。スーパーマンは自分の力で人類を救い、ルーサーの陰謀を阻止します。スーパーマンは、自らの命を犠牲にしながらも、ルーサーを世界から排除するというミッションに成功するのです。死を目前にしたスーパーマンは、父ジョー･エルの言葉を思い出します。ジョー･エルは、彼自身の善行が他の人たちの 「道徳の向上 」を促すことになると言いました。

監督のブライアン･シンガー氏によると、スーパーマンはスーパーヒーローのイエス･キリストなのだそうです。使命のために自分を犠牲にするスーパーマンの意志ははっきりしています。彼が殴られたり、突き刺され蹴られたりすると、メシヤの運命や、真のお父様が無慈悲な拷問を受けたことが思い出されます。

「スーパーマン．リターンズ」は、人類が救済を必要としているという明確なメッセージを伝え、そのためにはリーダーシップと犠牲が必要であることを強調しています。この映画は、特別な力を持ったスーパーヒーローが登場するファンタジー物語ではありますが、希望を促します。真のお父様は、エデンの園で失われたものを人類が取り戻すことができるという同じメッセージを宣言されています。

250. 「メシヤは、サタンの主管下にいる堕落した血統をもった人々の生命を否定し、新しい生命の種を接ぎ木してあげるために来られる真の人です。根は神様に置いているのですが、後のアダムとして来て、アダムが犯した罪を清算しなければならないのがメシヤです。神様が、能力だけで役事する超人(スーパーマン)をメシヤとして送ることができない事情が、ここにあります」(1996. 4. 16)

メシヤが歩む道は、神様の理想世界を確立するために、血と汗と涙を流す道です。真の父母様には特別な力はありませんが神様に仕えて人類を救いたいという切なる心と、それに必要なことは何でもするという強い意志を持っておられます。

現実化する

メシヤが超能力を持って現れ、世界の問題をすべて解決してくれるとしたら、それは素晴らしいことだと思いませんか？歴史的に見ても、大部分のメシヤを待望する宗教はそのように考えてきました。しかし、メシヤの使命はエデンの園で失われたもの、すなわち神様の理想とする絶対「性」を取り戻すことです。メシヤはどのようにしてそれを実現するのでしょうか？

神様は、アダムとエバが成熟してから夫婦の愛を経験するように願われました。しかし、彼らは性的に未熟な段階で堕落してしまいました。生殖器は性的関係の中で失われたものなので、その関係の中でしか回復することができないのです。メシヤが一人で生殖器を回復することはできません。だからこそ、神様は真の父母を送る必要があったのです。真の男と真の女が一心同体になり、天の父母を体現させてこそ、生殖器が完成されるのです。

真のお父様が絶対「性」という言葉を初めて使われたのは76歳のときでした。なぜ真のお父様は、このような神様の王国の基本的な支柱について教え始めるまで、それほど長く待たれたのでしょうか。私たちは摂理歴史を学ぶことで、天の勝利のためには、神様の復帰摂理を進めるために支払うべき代価があることを知っています。次の段階に進むための基台を作るために必ず犠牲は伴うのです。

真のお父様は、絶対「性」の時代を宣布するために、想像を絶する苦しみを経験されました。真のお父様が限りない生死をかけた挑戦に耐えられたことを見れば、絶対「性」の教えがいかに尊いものであるか知ることができます。真のお父様は、不当に六度も刑務所に入り、死の虐待と拷問を受けられました。真のお父様はスーパーマンのように、使命を成し遂げるためにすべてを犠牲にすることを厭われませんでした。

考察点·アクティビティ

- なぜ、神様にとって性行為がそれほど大切なのでしょうか？
- 生殖器が回復されることを反対するサタンがどのように働いているか分かりますか？
- この章を読んで、あなたのメシヤに対する概念は変わりましたか？あなたの考えを聞かせてください。

中間位置

私たちは誰でも例外なく、自分の進むべき道について葛藤し、中途半端な位置に陥ることがあります。正しいことをしようとする心がある一方で、即座に満足できるものを求めてしまいます。キリスト教信仰の最大のチャンピョンであった使徒パウロでさえ、ローマ人への手紙7章22～24節で次のように嘆いています。「私は、内なる人としては神の律法を喜んでいるが、私の肢体には別の律法があって私の心の法則に対して戦いを挑みそして肢体に存在する罪の律法の中に私を虜にしているのを見る。私は何とみじめな人間なのだろう。誰がこの死の体から私を救い出してくれるだろうか」(JBS)。このような苦悩をもたらす混乱状態に陥ったとき、私たちはどうすればよいのでしょうか。

真のお父様のみ言

251. 「皆さんの本心は、師が必要ありません。心は第二の神様です。師についていかないで、統一教会の先生に侍らないで、皆さんの心に侍りなさい。心はどうですか。朝早く起きて一人、ねずみの子の音も聞こえず、はえの音も聞こえない静かなときに、「ああ、私はこんなことをしなければ。いいことをしなければならない」と言えば、心が「うれしい！　うれしい！　早くしろ！」と言いますが、悪いことを考えれば、心が「こいつ！」と言うのです。心が分かるでしょうか、分からないでしょうか。分かるのです。そうだというのです。心はよく知っているのです」(1986. 1. 19)

252. 「皆さんの心と体が闘い始めたのは、いつからか分かりますか。堕落した直後からです。そこで病気にかかったのです。それを取り除いてしまうことができなければ、絶対に天国に行けません。心と体が闘う人は、天国に行けません。先生はそれを闘ったのです。「宇宙主管を願う前に自己主管を完成せよ」というのです。行けば行くほど、神霊的な世界に入れば入るほど、もっと恐ろしいサタンが現れるのです」(2006. 5. 28)

253. 「地上界で暮らす間、皆様の一挙手一投足は、天の公法を基準として、一つ残らず皆様の霊人体に記録されます。したがって、霊界に入っていく皆様の姿は、肉界での人生を百パーセント収録した霊人体の姿です。よく熟した善の人生だったのか、虫に食われ腐った悪の人生だったのかは、皆様の霊人体に赤裸々に現れるのです。神様が皆様の審判主ではなく、皆様自らが自分の審判官になるということです。このような途方もなく恐ろしい天理を知れば、どうしてあえて地上界の人生を、あらゆるサタンの誘惑に陥り、利己的で快楽ばかりを追い求める背徳の人生で終えることができるでしょうか。皆様の霊人体に傷を負わせ、傷跡をつけることは、命を懸けて慎まなければなりません。天国行きと地獄行きが、きょうこの時間、皆様の考えと言行によって決定されるという事実を、はっきりと肝に銘じてください」(2006. 12. 20)

254. 「どちらの道を行くかを決めなければなりません。目に見える自分と目に見えない自分との間には常に綱引きがあり、誘惑は常にあなたを一方の方向に引っ張ろうとし、神様の真実はあなたをもう一方の方向に引っ張ろうとしています。それぞれの人は真ん中に挟まれ、一方から他方へ引っ張られながらジグザグのコースを進むのが普通です。これは非常に現実的な分析です」。(1979. 1. 1)

255. 「サタンが好きな幸福、理想、愛と、神様が好きな幸福、理想、愛があることを知らなければなりません。神様の基準は永遠なものに基づいており、サタンの基準は瞬間的であり一時的なものです。あなたはどちらの幸せを選びますか？きっと永遠の幸せを選ぶと思いますし、そうすべきです。永遠の愛を探すために、準備して努力しなければなりません。一時的な愛だけを求めていては、いずれ死んでしまいます。自分の中に一時的な衝動や欲望が生まれたら、永遠の愛を求めて、死の闇を避けるように祈ってください」(1998)

256. 「元来、人間始祖が堕落しないで完成し、神と心情において一体となることができたならば、彼らは神のみに対して生活する立場におかれるはずであった。しかし、彼らは堕落してサタンと血縁関係を結んだので、一方ではまた、サタンとも対応しなければならない立場におかれるようになったのである。したがって堕落直後、まだ原罪だけがあり、他の善行も悪行も行わなかったアダムとエバは、神とも、またサタンとも対応することができる中間位置におかれるようになった」(1996)

257. 「それでは、このような中間位置にいる堕落人間を、神はどのようにしたらサタンから分立させることができるであろうか。サタンは元来、血統的な因縁をもって堕落した人間に対応しているのであるから、あくまでも人間自身が、神の前に出ることのできる一つの条件を立てない限り、無条件に彼を天の側に復帰させることはできないのである。一方においてサタンも、これまた人間の創造主が神であることを熟知しているので、堕落人間自身に再びサタンが侵入できる一つの条件が成立しない限りは、かかる人間を無条件に奪っていくことはできないのである。それゆえ、堕落人間は彼自身が善なる条件を立てたときには天の側に、悪なる条件を立てたときにはサタンの側に分立される」(1996)

258. 「最も恐ろしい地獄に行くこととは何ですか。天理で決めた生殖器の反対の道を行けば地獄へ直行であり、これと反対に、正当な神様の絶対愛の道を行けば天国の高い所に行くというのです。すっきりとした結論です」（1996. 8. 1）

259. 「あなたの霊人体は、真の愛を実現するために地上での生涯を通して成長し、成熟し、最終的には肉体の中で完成します。とはいえ、あなたの外なる自己と内なる自己は、常に対立と闘争の関係にあることは否めません。あなたはこの闘争をいつまで放っておきますか？10年？100年ですか？それに対して、宇宙には、すべての存在には公式秩序があることは否定することはできません。これは、神様が人間をこのような対立する無秩序な状態に創造したのではないことを示しています。外なる自己（肉体）への誘惑を払い、内なる自己（良心）の道を歩むことで人生に勝利することが、人間としての義務であり責任であることを知らなければなりません。その

ように生きる人には、天の祝福があるのです。そして霊人体の完成を成すのです」(2006. 4. 10)

真のご父母様のみ言に対する感想

私たちは皆、真のお父様が話された内的な主導権争いに共感できます。私たちは日頃からそれを感じています。真のお父様は、この内なる葛藤が堕落の悲劇的な結果であることを明らかにされました。堕落直後、アダムとエバは神様とサタンの両方に関わる中間位置にいました。その結果、彼らの子孫も皆、中間位置にいるのです。自分自身を完全投入しない限り、神様が彼らを神様の側に復帰することはできないのです。同様に、私たちが悪い条件を作ると、サタンの側に引っ張られるのです。

私たちは、将来の結婚に備えて純潔を守るなど、神様の理想に沿った行動をとることで、神様の側に立つことができます。長期的な幸せを考えず、目先の満足を選択すると、自分自身や愛する人に悪影響を及ぼすことがあります。

誘惑が私たちを一方に引っ張ると同時に、神様の真理が私たちを他方に引っ張ります。これが人間の姿であり、私たちは神様の領域とサタンの領域の両方に存在し、その中間に位置しています。瞬間的な満足だけを求めれば、人間関係が悪くなります。自己中心的な衝動や欲望が生じたときには、永遠の愛を求め、不道徳な行為から生じる苦痛を避ける力を求めて祈りましょう。私たちが天国に行くか地獄に行くかは、一瞬一瞬の思考、言葉、行動によって決まります。心と体が対立している人は、天国に入れません。霊的レベルが高ければ高いほど、恐ろしいサタンに直面することになります。

現実化する

二匹のオオカミ

ある晩、チェロキー族の長老が孫に、人間の内心で起こっている争いについて話しました。「息子よ、その争いは私たちの中にいる二匹の狼の争いである。一つは悪で、怒り、妬み、嫉妬、悲しみ、後悔、貪欲、傲慢、自己憐憫、罪悪感、恨み、劣等感、嘘、偽りのプライド、優越感、エゴなどである。もう一方は善で、喜び、平和、愛、希望、誠意、謙虚、親切、博愛、共感、寛大、真実、思いやり、信仰である」と言いました。 孫は少し考えてから、おじいさんに 「どちらの狼が勝つのですか?」と聞きました。長老は端的に「お前が養うほうである」と言いました。

チェロキー族の物語の教訓は、「養うものは育ち、飢えさせたものは死ぬ」ということです。自分自身が中間位置にいて、相反する方向に引っ張られていることに気がついたら、どうすれば良いでしょうか。自己中心の考えや感情はまるで毒のようなものです。そこに気を取られるとその魅惑は徐々に強くなり、間違った方向への誘惑が多くなります。中でも最も難しいのは、性的な誘惑や強迫です。

生殖器の悪用がこの世の悪の根源であれば、その威力がどれほど強力であるかは想像に難くありません。消したい習慣がある場合は、その習慣を止めなければなりません。飢えさせれば飢えさせるほど、悪い狼は弱っていきます。餌を与えれば自分を苦しめることとなり、中間位置に留まってしまうだけです。

自己中心的な考えや一時的な満足感から抜け出すためには、どのような条件が必要でしょうか。日々の祈りと神様のみ言を学ぶことで良い条件を立てるとき、身体からの影響を制限し、良心を強くすることができます。それは、腕立て伏せやランニングなどの運動で筋肉を鍛えるのと同じです。真の父母様の「人のために生きる」という生き方を研究すると、「肉体を否定すること」が神様の摂理を進めるための条件であることがわかります。真のお父様は、餓死者が続出する北朝鮮の刑務所で、自分のご飯を二等分にして、半分を他の囚人に与えました。真のお父様が逝去された後、真のお母様は疲労と健康問題に悩まされながらも、広範囲に渡り旅をされました。真のお母様は、世界中の人々に神様の祝福をもたらすために、ご無理をされお体を押し出されました。これらは、神側を支援し、敵を打ち負かすために、真のご父母様が生涯にわたって犠牲を払った例です。

より大きな善を達成するために自分を押し出すとき、私たちは誘惑から自分を遠ざけ、神様に近づくために非常に強力な条件を立てます。投資すればするほど、私たちの良心はより強く、より明確になります。善行を行い、他人のために生きることで、自分の中の善き狼を養い、神聖な精神を生み出すのです。

考察点·アクティビティ

- あなたが「飢えさせた」または「養った」ことで、自分の成長につながった例を挙げてください。
- 性的な誘惑から身を守るためには、どのような条件を満たせばよいのでしょうか。
- あなたは、自分が中間位置にいることに気づいたことがありますか？その時、あなたはどう感じましたか？どのようにしてそこから抜け出すことができましたか？

「恥」の結末

お風呂に入った後、裸で走り回って笑っている幼児を見たことがありますか？子供は恥じることなく生まれてきます。神様は、私たちの生殖器を、私たちの体の中で最も貴重で神聖なものとして創りました。私たちが成長し、やがて結婚するときにも、その純真さを保ってほしいと願っておられます。愛の行為は、最も美しく、親密で、喜びに満ちた夫婦間の愛の表現であることを意味しています。しかし、私たちが親や学校、エンタテイメントなどから受け取るメッセージは、しばしば歪んだ性の姿を描いています。私たちの性的行動や信念は、子供の頃に学んだことに影響されています。羞恥心のために、相対者との本当の意味での性的な親密さから遠ざかってしまうのです。どうしたらいいのかわからず、イライラしてしまうかもしれません。真のお父様は、私たちが恥ずかしさから解放され、神様が意図されたように自分の性に誇りを持って抱擁できるように指導しています。

真のお父様のみ言

260. 「皆さんが愛するのを神様が見るでしょうか、見ないでしょうか。天下時空を超越する神様がこの世界五十億人類が愛する夜に、目を閉じるでしょうか、どうでしょうか。見ているとすると、気分はどうでしょうか」（1991. 11. 3）

261. 「結婚後の家庭生活は、神様を真ん中に奉り、その神様がともに喜ばれる姿を見ながら、互いに愛し合うことのできる関係になってこそ、本当の喜びを感じることができます。男女が結婚して互いに愛し合うことは、本来恥ずかしがることではありません。これは最も尊厳なことであり、神聖で美しいことであるのです」（1997）

262. 「聖書を見れば、善悪の実を取って食べて堕落したとありますが、下部を覆ったというのはどういうことでしょうか。既成教会で聖書をもう少し知性的に解釈できる心さえあれば、すぐに堕落の起源を知ることができます。どうして下部が恥ずかしいものなのでしょうか。下部をなぜ覆ったのでしょうか。口を覆い、手を覆わなければならないのに、下部だからといって欠点になることはありません。しかし下部で堕落することによって天の愛を蹂躙した恥ずかしい宮殿になったというのです。真の愛の泉がわかなければならないのに、悪魔の愛を中心とした偽りの愛の泉があふれ出てきたのです。それで、これが愛の土台の中で一番悪い愛の土台になったのです」(1990. 5. 24)

263. 「悪魔がどこに根を打ち込んだのかといえば、体に打ち込んだのです。神様はアダムとエバを造りましたが、彼らは未成年の時に堕落しました。善悪の実を取って食べるなと言いましたが、それは果実ではありません。善悪の実を取って食べるとき、手で取って口で食べたなら、手を隠し、口を覆ったはずなのに、なぜ下部を覆いましたか。これが死亡の落とし穴です。人類文化を滅ぼし得る根源地です。皆さん、愛という言葉が極めて聖なる言葉であるにもかかわらず、なぜ下品な言葉として使いますか。なぜ下品な言葉だというのですか。それが天地の大道を破壊したからです」(1990. 1. 25)

264. 「曇った日に陰電気と陽電気が合わさって雷が鳴ったり稲光がするのは、宇宙結婚の象徴です。大声で叫ぶでしょう？　はとも愛する時、大声で叫ぶでしょう？　皆さんも愛する時、大声で叫びますか。声が出てきそうなのに両親に聞こえるかもしれないと思って、ただもう死ぬほど心配でしょう。率直であるべきです。なにもそのようなことを隠す必要はありません。これからは、窓ガラスが一度にガッシャーンと音がするくらい叫んでも罪ではありません。雷鳴がとどろき、稲光がするかのように、火が出なければなりません。聖女に侍って生き、聖男に侍って生き、神様に侍って生きる境地に入っていかなければならないのです」(1990. 6. 26)

265. 「堕落した世界において愛は最も危険なものになってしまいました。愛をよく管理できなければ天下が崩れ、ひっくり返るのは堕落したからです。人間は愛がなぜ偽りとなり醜くなったのか知りませんでしたが、その愛を守り保護しようとしたのは真の愛が現れてくれることを願う本能のためでした」(1997)

266. 「男性と女性の生殖器が一つになるところにおいて、愛の本宮が生まれます。歴史的な愛の宮殿が生まれます。安息の場になります。これは、誰も移すことができないのです。永遠です。絶対的なのです。その愛のすみかで、男性の生命と女性の生命が同化するのです。同化して沸きたって爆発するのです。その中から新しい生命が発生します。発生する爆発力によって、新しい生命が続いて出てくるのです。ですから、愛し合う時は、はともクウクウ鳴いて爆発するのです！

　男性と女性が愛し合う時、姑、舅がいたとしても、大声をあげて叫ぶのは恥ずかしいことではないというのです」(1989.10.3)

267. 「男性と女性が九〇度で一つになるところはどこだといいましたか。生殖器です。笑うことではありません。神聖なことです。そこが愛の本宮です。目でもなく、頭でもありません。男性と女性が愛する時は、どこが動きますか。目が動きますか。頭が動きますか。何が動きますか。生殖器なのです。悪いものだと考えるなというのです。堕落したために悪いものとして扱われているのです。サタンがこの世を滅亡させる本宮にしています。それが愛の本宮であり、生命の本宮でしょう？　生命がどこから出てきますか。そこから出てくるでしょう？　その次に、血統がどこで連結されますか。頭で連結されますか、手の甲で連結されますか」(1990.2.11)

268. 「エデンの園で裸になって踊るのを誰が見ていたでしょうか。人がいない所ではそんなこともできるのです。部屋で夫婦が裸になって踊るからといって、それが心配なことですか。夫婦同士なら裸になって踊るどころか、どのようなことをしても、誰が何と言うでしょうか。夫婦同士でするのに、何の関係があるでしょうか」。(1968.11.24)

真のお父様のみ言に対する感想

神様の視点では、祝福カップルが愛を交わす場所が天国の中心です。

それなのに、なぜこんなにも恥ずかしい場になったのでしょうか。真のお父様は、恥の起源はエデンの園でアダムとエバが生殖器を誤用したことにあると説明しています。堕落の時、愛と性の純粋さが失われました。愛の宮殿が恥の宮殿になったのです。人類は性行為が偽りで汚いものとなった理由を分からないにもかかわらず、性に憧れているのです。それは神様がそのように私たちを創られたからです。

真のお父様は、夫婦の愛について率直に語られます。真のお父様は、神様が意図されたセックスに関して説明し、性行為は汚いものであるという世間の考え方と対比しています。真のお父様はかつて動物のように愛することについて次のように話されました。

269. 「恥ずかしいとは何ですか？恥ずかしいと思うことはありますか？なぜ恥ずかしいと思うのですか？私はこのような話をすることを恥ずかしいとは思いません。自然なことです。もし恥ずかしいと思うなら、それは堕落した世界の習慣です」(1996. 5. 1)

真のお父様は、夫婦に音を立てることを恐れず、自然に情熱的に性行為することを勧めています。たとえ親や子供に聞かれたとしても、夫と妻は恥ずかしいと思うべきではありません。私たちの生殖器が愛と生命と血統の原点であることを理解して、「性」に対する恥ずかしさを取り除くように促しています。

現実化する

真のお父様は、性関係は夫婦間の最も神聖で美しい愛の表現であり、単に性欲を満たす肉体的な反応以上のものであると教えています。私たちは、相対者の精神的、感情的、性的な必要性や欲求を満たすために努めながら、全身全霊で性行為をするように創造されました。神様は私たちが夫婦間の親密な関係を十分に楽しめるように創造されたのに、なぜしばしば困難になるのでしょうか。

性的満足を妨げる通常の障壁は、「恥」です。真のお父様は、神様はアダムとエバの子孫に「恥」を経験するように意図しなかったと強調します。これはサタンから受け継いだもので、私たちは神様が自分達の過ちを知ったならば私たちを愛することができないと信じるようになりました。私たちは何か悪いことをしたので、良心の呵責を持っているかもしれません。赦しを得られず、自分が悪い人間だと思うようになると、その呵責が「恥」に変わることがあります。呵責は、過ちを解決するための良心からのメッセージです。これは、人間の人生に対する神様の願いに私たちをもう一度合わせるという前向きな目的があります。一方、「恥」は、自己嫌悪を起こし、希望を失わせるものです。「恥」は私たちに、「あなたはダメな人間だ」、「この悪い習慣を直すことはできない」、「あなたは価値の無い哀れな人間だ」と言います。これらのメッセージは、神様からではなく、サタンからの来たものです。「恥」をかくと、私たちは自分が天の父母様の子供として無条件に愛されていて、神様が赦したいと思っていることを忘れてしまいます。神様は常に私たちに、「あなたは私の子供である。私はいつもあなたを愛している。あなたには明るい未来がある。もう一回挑戦してみなさい」と言ってくださいます。

矛盾したメッセージによって性的概念は混乱を起こしています。ある人は性関係を気軽に扱い、彼らは誠実に生きる人や純潔を保つ人を恥ずかしめます。また、性行為は下品で汚いものであると考える人もいます。「性」の悪用のみを語る牧師や位置ある人達から、それが「罪深いもの」としてレッテルを貼られていることの影響を受けているかもしれません。しかし、私たちの「性」に関する考え方に最も影響を与えるのは親です。皮肉なことに、親が「性」について自由に話すことを躊躇するので子供たちが「性」は本質的に恥ずかしいものだと思い込んでしまうことがあります。また、家庭によっては、性的虐待を受けた子どもが、その恥じらいを大人になっても引きずることもあります。

このような「性」に関するネガティブな記憶は　最も深い親密な結婚生活の体験の妨げとなります。このようなネガティブな内容を克服するには、性的に誠実な行動をとること、自分が愛し信頼できる人たち、親、相対者、または相談者などと心を開いて正直に連絡しあうことから始まります。また、ポルノやその他の自己中心的な性行動を避け、自制心を強くすることが重要です。率直で正直な話し合いをすることで、私たちの人生から「恥」という重い荷物を取り除くことができます。夫婦であれば、そうすることによって理解ある相対者と自分の必要性や欲求を分かち合うことができ、癒しと新しいレベルの親密さを経験することができます。

私たちは、神様によって結婚の中に最も美しい愛と性的表現の自由を経験するように創造されました。思春期や青年期の時に、「性」の健全性を高め、時が来たら祝福結婚を受けそれによって受けるべきすべてのための準備をすることが大切です。祝福カップルが肉体的、感情的、性的に愛を分かち合うことができれば、どこへ行っても、何をしても輝く愛を放つことができます。

神様は私たちを愛している

誰もが一度は「恥」に悩んだことがあることでしょう。「恥」の最大の問題点は、自分が愛されない存在だと思い込んでしまうことです。「恥」は、神様の愛や他者からの愛を感じることを妨げます。また、自分自身を愛することもできなくなります。「恥」は、私たちに自分自身に対する歪んだ理解を与えます。マックス·ルカド著の児童書『あなたは特別です』は、老若男女を問わず、「恥」という重荷をいかにして人生から取り除くことができるかというメッセージを伝えています。

『あなたは特別です』は、ウエムミックと呼ばれる木製の人形の町の物語で、何が正しく受け入れられるものかという人口的な概念で彼らを管理しています。才能、美しさ、知性など、外見が良いものは公に奨励されますが、「変わった者」には　彼らを恥ずかしめるために服に丸のシールを貼られます。コミュニティの基準を満たした優秀な者には、特別な星のシールが貼られます。主人公のパンチネロは、外見的に特別なところがないので、この星のシールをもらうことができません。丸のシールでいっぱいとなり　自尊心を失った彼は、最終的に村の木彫り職人エリに相談に行きます。

エリはパンチネロに、彼が特別で、ユニークで、本物の創造物であり、貴重な芸術品であると話しました。エリは「シールは、あなたがそれを重要と思わなければ貼り付きません。私の愛を信じれば信じるほど、そのシールが気にならなくなります」と言いました。(注[32])　パンチネロはその瞬間まで、誤った情報や歪曲に満ちた環境に影響され、すべての希望を失いかけていました。ようやく今、彼は創造主であるエリが彼を特別で愛されるようにデザインしたという真実を悟りました。その結果、その服についていた丸のシールが

32. (注) Max Lucado, You Are Special (マックス・ルケード,『あなたは特別』), (Wheaton: Crossway, 1997), 29.

剥がれ落ち、彼は生まれて初めて誇りと感謝、そして喜びで一杯になりました。

人形師がパンチネロを貴重な芸術品として創ったように、神様は私たちをご自分の子供として創られ、身体のあらゆる部分に神様の性質を注入されました。真の父母様故に、私たちは神様が私たちの生殖器のデザインに最も多くの神経を費やされたことを知っています。神様は、性的存在としての私たちが誰かという真理をもって手を差し伸べています。パンチネロは自分の本質を思い出す必要がありましたが、それは私たちも同じです。私たちが神様の意図する「性」を受け入れ、自分の性的誠実さを高めることで、「恥」の重荷は取り除かれるでしょう。

考察点·アクティビティ

- あなたが何かに対して恥じらいを感じた時のことを分かち合ってください。その恥じらいを乗り越えることができましたか、それともまだ残っていますか?
- ある人が自分の犯した失敗を話したとき、どのように答えたいですか?もしあなたが犯した過ちを明かしたとき、愛する人からどのような反応を得たいですか?
- あなたの人生で経験するかもしれない「恥」を解決するために何か方法はありますか?

影のない人生

もしも透明人間になれるとしたら、あなたは違った行動をとるでしょうか、それとも今と同じように行動するでしょうか？映画館に忍び込んだり、人を監視したりするでしょうか？透明になることは不可能かもしれませんが、誰も見ていないとき、私たちはどのように行動するのでしょうか。そして、影のない人生、隠すことのない人生、自分のするすべてに誇りを持って生きるとは、どのようなものでしょうか？

真のお父様のみ言

270. 「正午は最も明るい日差しの時間帯です。どこにも暗闇はなく、明るさだけが大気を覆っています。それは満ち足りた状態であり、欠けているものは何もありません 」(1983. 1. 2)

271. 「神様の宝座が地上で地獄の真ん中に来ていますが、中心は太陽のように昇らなければなりません。そのようになれば、すべてのものが影のない正午定着時代に入るのです。その正午定着という言葉は、影が永遠にないことを意味します。霊界に行けば、太陽がいつでも中間に浮かんでいます。影がないということです。影ができれば、すぐに善の霊が集まってきて吹き飛ばしてしまうのです。なくなるのです。そのため、善の霊が地上に来て、影のある世の中を処断してしまうのです」(2005. 7. 14)

272. 「正午定着は、影がなくなるときに可能です。体と心が一つになれば、影がなくなります。夫婦が一つになれば、影がなくなるのです。太陽が東にあれば西に影ができ、西にあれば東に影ができます。また、南にあれば北に影ができ、北にあれば南に影ができます。東西南北に影ができます。しかし、正午に中央に立てば、影がありません。そのような父母、夫婦、父子の関係、そのような兄弟の関係にならなければなりません。そうしてこそ、神様が八段階の愛を中心として、主人になる位置が決定するのです。いくら精誠を尽くしても、正午定着にならなければなりません。十二時に影がないように定着しなければ、影のない神様のみ前に行けないのです。垂直になりません。永遠に影がない垂直にならなければなりません」（2000. 9. 26）

273.　「正午定着です！四位基台に影があってはいけません。正午定着すれば、神様が頂上から降りてきて、すべてが喜ぶのです。いくら広くても、すべてが喜ぶのです。「私」が正午定着できる母、父になり、夫、妻になり、息子、娘にならなければなりません。ここに影が生じれば、「私」ゆえに天地のすべての災いが私たちの家庭に根を降ろすのです。恐ろしい言葉です。これが一つの公式であり、モデルです」（2000. 9. 25）

274.　「皆さんは影のある生活をしてはいけません。それで正午定着を宣布しました。それは素晴らしい言葉です。影がありません。体と心が一つになり、家庭の四位基台が一つにならなければなりません。父が誤れば父の影が生じ、母が誤れば母の影が生じ、四人家族で四人が定着できなければ、光の混乱が起こるのです。影がある所は、みな嫌がります。ですから、正午定着をしなければなりません。あちらの国に行っても影があってはならないのです。影がない所で個人から家庭、氏族、民族、国家、世界、天宙、神様まで八段階の垂直線を往来する方が神様です。神様の愛に影が生じるかというのです。純愛そのものです。ですから、誰もが純潔な血を願うのです。誰もが影を嫌がるのです。影はサタンです。ですから、何であっても、誤れば隠そうとするのです。それが怨讐です。国境線がそうです。国境撤廃は正午定着を意味します。これは象徴的な話ではありません。必ずこのようにしなければならないのです」（2000. 9. 27）

275.　「正午定着をする家庭、影のない家庭にならなければなりません。エデンの園では、影のない真の愛だったので、愛するのに影があってはいけません。ですから、世の中の万事、すべてのものがそこに来てつながり、一つになるようになっているのです。そこに他のものが進み出て自己主張することはできません。ですから、絶対信仰、絶対愛、絶対服従です。そのため、自分がないのです。真の愛の前には、すべてがそのようになります。影のない定着をアダム家庭で成し遂げ、アダム一族、アダム民族、アダム国家、アダム世界にならなければなりません」(2000. 10. 1)

276. 「正午定着という概念を最初に宣言したのは統一教会です。正午には、影ができません。正午に立っていると、太陽が明るく輝いているのがわかります。ダイヤモンドや宝石の輝きもその光にはかなわないほど明るく、影がなく、暗闇がまったくありません。その光の中で、闇はすべて分解され、跡形もありません。それは神様の存在においても同じです。蛍の光でさえ、暗闇の中では光を放つことは出来ないのに、神様が発する光、つまり太陽の何百倍も明るい光は、他のあらゆる種類の光を吸収してしまいます。あらゆる光を吸収してしまうので、戦うことはできません」。(2003. 10. 25)

277. 「瞬間瞬間に日常生活の中で起こる無数の様々な状況を分析し検査して、自分自身が正しいか、もしくは間違っているかを判断してください。韓国の先生がテストを採点するのと同じように、自分が正しければ○、間違っていれば×をつけてください。それによって、天に向かって縦の軸ができ、影のない正午のような生活ができるのです。あなたの人生には、真の愛の精神で敵を許し、受け入れるだけの深さと広大さがあったことでしょう。しかし、自分が恥ずかしいことをしたときは、自分に×印をつけましょう。あなたの心の中には、不安、苛立ち、恨み、妬みなどの否定的な感情があったはずです。心や思考が狭く、寛容さに欠け、自己中心的で個人主義であり、周囲の状況が見えていなかったのではないでしょうか。あなたの選択が確かではなかったと思います....。灼熱の太陽の下で恥ずかしくないように、広大無辺な宇宙に堂々と向き合い、隠すことなくすべての創造物の前に立つために、真の○を追求してください」(2004. 10. 26)

真のお父様のみ言に対する感想

真のお父様が最初に正午定着について語られたとき、それは永遠に影がないことを意味するとおっしゃいました。家族関係において正午の生活を確立しなければ、私たちの血統に不幸をもたらします。兄弟、父母、配偶者、子供など、すべての人間関係に影がないようにしなければなりません。実際に、神様の計画は人類が個人から家族、氏族、民族、国家、世界、宇宙、そして神様までの八つの段階を経て、影のない世界を作ることにあります。私たちが影のない人生を送るとき、私たちは神様と一緒に喜ぶことができるのです。

エデンの園は、神様が最初の息子と娘を、絶対、無条件で愛された光り輝く場所でした。アダムとエバが生殖器の使い方を間違えたとき、彼らに影が差しました。恐怖と恥に打ちひしがれ、下半身を隠して過ちを隠そうとしました。その影は、神様の愛を遮り、彼らを暗闇へと落とし入れました。それ以来、私たちは彼らの堕落した性分を受け継いでしまったのです。自分の過ちを愛する人から隠すと、心の中が否定的な感情で一杯になります。

真のお父様は、私たち自身が自己中心的になっていないか、個人主義になっていないか、不寛容になっていないか、あらゆる瞬間に分析しなければならないと言っています。真のお父様は、私たちがどんな環境でも希望を持ち前向きに対応し、あらゆる状況に対して感謝の心を持つよう望んでいます。

現実化する

2015年、世界中に氾濫するポルノの状況を心配した、ある祝福家庭がその問題を明らかにすることに決めました。彼らは、真のお父様の正午定着に関する教えに刺激され、この教えが衝動的な性行動に苦しむ人々が影から抜け出し、本然の理想に沿って生きる助けになると考えました。

正午の生活を送るにはどうすれば良いでしょうか？自分の視点ではなく、神様の視点で見ることです。正午の生活をしているとき、私たちはすべての関係において神様の理想と完全に一つとなるのです。親と子は、何でもオープンに話し合うことができます。夫婦はお互いに最も親密な欲望を自由に共有するのです。社会では、お互いを神様の子として高め、尊敬し、信頼し、受け入れる文化を楽しめます。これにより、必要なときにサポートを求めることができます。正直さ、恩恵、誠実さ、アカウンタビリティー、勇気はこの正午の文化を生み出す重要な美徳です。

正直さ

278. 「失敗を隠そうとする人は成長できません。一方、正直な人は、宇宙がどこまでも押し出し、支えるので発展するのです」真のお父様(1987. 10. 8)

本当の人間関係を築くためには、正直であることが大切です。私たちの多くは、他人にどう思われるかを恐れて、自分の過ちを隠し、自分を偽ることを学んできました。自分の欠点を知られたら、相手が自分を完全に信頼して受け入れてくれるはずがないと思ってしまうのです。大切な人に自分のことを正直に話すことで、本当の無条件の愛を経験することができます。

恩恵

279. 「多少の艱難辛苦はあるだろうが、それを乗り越えた時、神様の恩寵が降り注ぎます。どんなに激しい嵐であっても、そのあとには太陽の光がやってくるのです」真のお父様（1980）

私たちは神様と違って、その人の本来の価値を見ずに欠点を審判する傾向があります。たとえその行動を認めなくても、私たちはその人を神様の子供として愛することはできます。恩恵は、私たちの精神を養うために必要な要素です。恩恵とは、赦しと無条件の愛の体験です。恩恵は、得ようとして受けるのではなく自由に与えられるのです。自分自身について真実を伝えることができてこそ、私たちの心は開き恩恵を得るのです。恩恵とは、自分自身にも他人にも与えなければならないものです。「私は絶対に成功しない」とか「私はバカだ」という内なる否定的対話を取り除くとき、私たちはもう一度学び、挑戦する機会を得ることができます。正直と恩恵は、正午の生活をつくる上で土台となります。

誠実さ

280. 「言葉で理想を与え、人格で実践を示し、深い心情で愛を与えなさい」 真のお父様（1980）

誠実に生きるとは、自分の理想を尊重し、実践することです。自分の行動が言葉と一致しているかどうか、そして最終的には神様と一致しているかどうか、常に自分自身をチェックします。私たちの人生に対する神様の意向に沿って生活しなければ、完全なる誠実さを保つことはできません。これは、健康、人間関係、性生活などすべてに当てはまります。性は私たちの生活の中で最もプライベートな部分であるため、誠実さを保つのが最も難しい分野であると言えます。真の誠実さとは、特に誰も見ていないときに、自分の理想に沿って生きることです。このような生き方は、力強く報いがあります。

アカウンタビリティー

281. 「私たちの信仰生活には仲間が必要です。伴侶のいない人は孤独な人です。仲間がいる人は、お互いに支え合い、守り合うことができます。人生の中で起こる困難を乗り越える方法を見つけることができます。仲間のいない人は、問題が起きても自分で解決しなければなりません」真のお父様（1971. 3. 21）

人間関係においてアカウンタビリテーを果たすためには、誠実さと恩恵を実践することが必要です。私たちは恥ずかしさを乗り越えて自分がしたこと、しなかったことを正直に話すことで、自分の行動に責任を持つことができます。そして、私たちが約束を成し遂げることで、より一層責任感を持つようになります。

アカウンタビリティパートナー（説明責任を担うパートナー）は、私たちを励まし、目標を思い出させ、過程の中の小さな前進も褒めてくれます。批判せずに聞いてくれます。どのように改善し、成長していきたいかを共有することで、影のない生活に近づくための選択力を与えてくれます。

勇気

282. 「大胆に、勇気を持って、行動すればするほど、神様から受けることのできる祝福は大きくなります」真のお父様（1980）

勇気は、正直さ、恩恵、誠実さ、アカウンタビリティーを身につけ、実践するための礎です。たとえ、傷ついても、恥ずかしくても、弱点を見せるということは、勇気が必要です。他人を信頼することで、理解されていると感じ、許されていると感じ、恩恵を感じます。勇気を持って、日々自分の希望や理想に向うことが必要です。私たちの人生にアカウンタビリティーを迎える為には、信仰の跳躍が必要です。正午の生活は時には恐怖ですが、自由と無条件の愛を体験できる唯一の方法なのです。

「ハイヌーン」から希望を見出す

ここでは、正午の生活を始めたことで、信仰や人間関係に大きな変化のあった青年の証を紹介します。

私がポルノの問題を抱え始めたのは、15歳のときでした。ポルノは私の人生に多くの問題を引き起こしましたが、私にとっての最大の問題は、神様に素直に話したり祈ったりできなかったことです。祈ったり、真の父母様のみ言を読んだりするたびに、「恥」を感じました。この問題は親や兄弟、教会の友人たちと正直に話すことを妨げました。そのうちに、「自分は孤独だ」、「他の二世とは違う」、「もう教会にはいたくない」と思うようになりました。

しかし、「ハイヌーン（正午）」の活動を通じて、純潔さは失うものではなく、養うものであることを知り、まずは父母に告白することを決意しました。私は親との会話の中で、神様の愛を感じました。神様は私を助けたいと思っているのに、私は心を開いていなかったことを悟りました。その後、私が経験した最初の変化は、素直に神様に祈れるようになり、そして親や兄弟との関係が親密になりました。

考察点·アクティビティ

- 5つの美徳のうち、自分が最も努力すべきことは何だと思いますか？
- 影のない人生のメリットは何だと思いますか？
- 自分にとって影とは何であり、どうすれば影を消すことができますか？

純潔運動

どんな運動にも、自分の信じることのためには、たとえ刑務所に入ったとしても、人生を棒に振ったとしても、どんな犠牲も厭わない勇ましい指導者がいるものです。キング牧師は、1960年代にアメリカ公民権運動を指導した人物です。正義のリーダーが、人間の尊厳を脅かす道徳的不正義に立ち向かい、情熱的に人々を鼓舞することで、運動が始まります。多くの人が一つのビジョンを抱くことで、大きな力が生まれます。その時点で、その運動は独自の生命を持ち始め、国全体、さらには世界全体に波及していきます。真のお父様は、悪の勢力を打ち破り、地上に神様の国を建設するために、生涯をかけてこのような次元の献身をされました。真のお父様の最大の情熱は、純潔運動のために人々を動員することでした。

真のお父様のみ言

283. 「皆さんに純潔運動をしなさいと指示しましたが、大学や中高等学校を問わず、私たちしかこれをする人がいません。それを自他が公認しています。純潔教育ができる資格をもった人は、私たちしかいないのです。ですから、世界史的な召命的責任が、私たちにあるというのです」(1998. 8. 17)

284. 「第二に、神様を縦的な絶対軸として、絶対「性」の価値を天の憲法として全人類に教育する教育革命を完遂しなければなりません。この道だけが人類に善の真の血統を伝授してあげることができ、神様の真の家庭理想を完成する道です。純潔、純血、純愛が今後真の人類の教育理念になるでしょう」(2006)

285. 「サタンの血統の根が村にまで入ってきます。ですから、純潔運動をしなければなりません。デモをしなければ、氏族メシヤ(の立場)をキリスト教徒たちに奪われてしまうというのです。今や純潔運動は、家庭を中心として行っていかなければなりません。国家が主導するのではありません。ですから、早くデモをしなさいというのです。純潔運動をしなければ、奪われてしまいす。先取権を握らなければならないのです。誰が先に特許を取るかということです」(1999.6.30)

286. 「文先生の教えを受けて、フリーセックスをやめた若者が世界中に何十万人もいるのです。絶対「性」を提唱する純潔運動のメッセージは、今、燎原の火のように広がっています。フリーセックスは偽りの愛に基づいており、サタンから来る利己的な欲望が動機となっていますが、絶対「性」は神様を中心とした絶対的な愛の表現です」(2004.10.25)

287. 「大学に、純潔運動と真の家庭運動を定着させなければなりません。青少年問題をどのように防ぎ、真の家庭をどこで定着させるのでしょうか。中高等学校と大学を連結させるのです。そうすれば、すべて終わります。現在、青少年たちが退廃的な思想に染まっています。小学校の十二歳から始まって、二十四歳まで、病に蝕まれています。それをどのように治すのでしょうか。村や国の中枢的な人物たちが垣根となり、押してあげなければなりません。そうしてこそ、法的な措置を取れるのです。今、家庭を疲弊させている同性愛とフリーセックスから、法で制裁を加えなければなりません。そして、家庭が模範にならなければなりません。キリスト教の伝統的思想を中心として、家庭が正しく立たなければならないのですが、そのようになっていません。そのようなものを、すべて作り変えなければなりません。家庭も作り変え、青少年も作り変えなければなりません。作り変えられる基準は、家庭ではありません。学校が行うのです。小学校から中高等学校、大学を中心として、国のすべての重役たちが一つになり、家庭的伝統を立てるのです。家庭教育を徹底的に行い、家庭絶対主義を主張していかなければなりません」(2000.8.8)「若い人たちが堕落しないように教育しなければなりません。ですから、純潔運動をするのです。純潔運動をしながら、模範的な村や地域の代表者として表彰しなければなりません。純潔を守っていく学生たちは、学校で優待しなければなりません。純潔を守っていく学生たちは、教師や校長が進み出て、応援してあげなければならないのです」。(1995. 10. 5)

288. 「現代では、「純潔』」という言葉の価値や重要性を議論することさえ時代遅れだと思われるほどに退化しています。しかし、純潔を失うことこそが、人類の未来を暗くする家庭崩壊の根本原因なのです」(1997. 11. 30)

289. 「歴史上の人々が純潔を重視し大切にしてきたのは、純潔が生命の尊厳に直結しているからです。純潔を大切にする心は、生命を大切にする心です。それは、自分の氏族や全人類を尊ぶ心です。さらに、純潔を尊ぶ心は、神様と出会うことのできる心に最も近いのです」(1997. 11. 30)

290. 「アメリカは強大国ではありますが、現実はこの純潔の問題に関しては全く力を発揮していないことは否めません。また、ワシントンD.C.が世界の首都としての名声を維持するためには、何よりもこの純潔の問題で世界一の都市になる必要があります。ワシントンD.C.が純潔の聖地になる日は、全世界がアメリカを尊敬し、愛する日となるでしょう」(1997. 11. 30)

291. 「私たちの最初の祖先であるアダムとエバをはじめ、人類の歴史上、無数の英雄や聖賢が重大な問題を克服することができなかったのは、この純潔の問題なのです。今日の問題は、家族、学校、教会、そして政府でさえも、この純潔の問題に責任を持てないことです」(1997. 11. 30)

292. 「このように、世界文化体育大会の目的は、個人が成熟し、真の愛の基盤となる真の家庭を形成し、強化することにあります。純潔の意味は、この祝祭に参加している皆さんにとって、より特別で重要な意味を持っています。皆さんが推進する純潔運動が世界に定着すれば、真の家庭運動の最も重要な柱となるでしょう」(1997. 11. 30)

真のお父様のみ言に対する感想

1997年、真のお父様は、世界の多くの人々が純潔は時代遅れだと考えていたにもかかわらず、世界の未来にとって純潔が絶対的に必要であることを大胆に宣言されました。今日、禁欲を主張する若者たちは、しばしば同世代の人たちから挑戦されますが、真のお父様は、性の純潔を誓う人は公に認められ、称えられるべきであると言われました。

　性の悪用により、私たちは自分や他人を、神様の神聖な子供ではなく、物として見るようになります。これは当然、私たちのすべての人間関係に影響を与えますが、特に家族の中ではなおさらです。お互いの価値を理解していないのに、どうやって愛に満ちた協力的な夫婦になれるでしょうか？親として、どのようにして子供たちに神様の息子、娘としての自分の価値を認識させることができるでしょうか。真のお父様は、私達に、人々が自分の性器を大切にするように指導することを、願われました。若者たちの問題を扱い、未来に希望を与える純潔運動を起こすことができるのは私たちだけであると言われました。純潔を尊ぶ心は、全人類を大切にする心であり、神様と出会うことができる心です。

公民権運動

私たちは、公民権運動から多くのことを学ぶことができます。ジム·クロウ時代の人種隔離は、黒人を二流市民の立場に追いやるシステムでした。黒人の子どもたちが通う学校には中古の本が配られ、子どもが多すぎて資金が足りないため、彼らの学校の授業時間は半分に短縮されていました。黒人は、バスの後ろに乗ることを強いられ、多くの施設に入ることを禁じられました。最も一般的な分離政策は、公共機関や企業の経営者に有色人種と白人の分離を義務付けるものでした。異人種間の結婚も厳しく禁止されていました。

　公民権運動（1954年～1968年）は、この不公平な状況に対応するためのもので、近年の歴史の中で最も象徴的な運動と言えるでしょう。何万人もの男女が、アメリカにおける人種差別をなくすために人生を捧げました。また、何百万人もの人々が集会や座り込み、ボイコットに参加して支援しました。

現実化する

真のお父様は、キング牧師が人種差別の憎悪と偏見に立ち向かったように、私たちに純潔運動のリーダーになるよう呼びかけて、世界中の道徳的衰退を終わらせることに尽力されました。真のお父様はマーティン･ルーサー･キング･ジュニア牧師を歴史上最も偉大なアメリカ人の一人と呼び、最大限の尊敬を寄せておられます。公民権運動は、当時の黒人が直面していた深刻な不正を解決するために必要なものでした。同じように、世界の若者が直面しているモラルの危機を解決するためには、純潔運動が必要なのです。

純潔同盟（PLA）は、真のお父様の「純潔運動を起こそう」という呼びかけに応えて、世界的な組織として設立されました。PLAは、若い人たちに、自分の性を将来の配偶者のための神様からの贈り物として扱い、結婚するまで純潔を守る誓いを立てることを勧めました。PLAは、純潔が価値ある人生の選択であることを証明したかったのです。若者たちは、アメリカ、アジア、ヨーロッパで集会を開き、行きずりのセックスを描く典型的なポップカルチャーに代わるものとして、性的純粋さをアピールしました。何千人もの若者が参加する大規模な野外集会を開催し、結婚のために純潔を守ることを宣言するPLAの取り組みは、90年代には過激なものでした。この集会は大きな反響を呼び、多くの主要な報道機関で取り上げられました。

偽りのセックス観念を世界中に広めようとするサタンの戦略に対抗するために、現代の純潔運動が必要とされています。インターネット･ポルノは、歪んだ、しばしば暴力的なセックスを描いており、世界の若者を混乱させています。ポルノは、何百万人もの人々を脅迫的な性行動、結婚生活の破壊、ナンパ文化や人身売買などに陥れています。

現代の純潔運動「ハイヌーン」

「ハイヌーン」は、世界的ポルノ氾濫に緊急対応するため、その有害な影響について人々を教育し、回復サポートを与えています。また、真の父母様のビジョンである「天的性」のみ言葉に基づいて、生殖器は神様の愛と生命と血統の本然の宮殿であるという深い理解を大胆に語っています。夫婦の関係がより良くなるように結婚生活を充実させ、親が子供たちと、性と純潔について心を開き継続的な会話ができるようにするための教育資料を提供しています。

このような活動を通して、私たちは、かつては、想像もできなかったほどのレベルの正直さを、目のあたりにしています。世界中の独身者たち、そして夫婦たちが、神様の性に対する美しい理想と、純潔のために人々を集めることを語り合うとき、感動するのです。あらゆる年齢層の男女が、勇気を出して性に関する自分の問題を率直に語り、充実した結婚生活をするために必要なサポートを求めています。しかし、私たちが成し遂げたこと以上に、「ハイヌーン」の活動に呼応して他の人々が率先して行動していることに感銘を受けます。「ハイヌーン」の集会に参加した人が、性の尊厳について会話をしてきたことで、自分の人生が変わったという話をよく耳にします。また、行ったことのない国に住む知らない人たちからもメールが届き、ポルノをやめるために自分たちでアカウンタビリティーグループ（説明責任を担うグループ）を作ってお互いにサポートしているという話を聞きます。また、大学生がキャンパスで性の尊厳について話し合う集会を開催しています。このような波及効果は、「ハイヌーン」活動範囲をはるかに超えています。

真のお父様のモットーは、「宇宙を主管しようとする前に、まず自分を主管しなければならない」というものでした。真のお母様は、「平和は私から始まる」と言われています。私たちは自分自身の性の尊厳を強化することで、純潔運動の一員となるのです。この様な人生と結婚は、新しい時代の礎となるでしょう。そしてこれが神様の純粋な愛で輝く家族で一杯になる世界に向けて共に歩む道の始まりであることを願っています。

考察点·アクティビティ

- 現代の純潔運動を起こすには、どのような方法が効果的だと思いますか？あなた自身はどのように貢献できますか？
- 「宇宙の根本」を読んで、何を学びましたか？あなたの人生に何か変化がありましたか？あなたの次のステップは何ですか？

結論

この本を読んで、何か心に響くものがありましたら幸いです。「性」について学ぶとき、私たちはそれぞれ違った経験をしています。真のご父母様の聖なる生殖器に関する教えは、奥深いと同時に困難でもあります。私たちは、すべての人が輝かしい結婚生活を送り、深いつながりと愛を感じる満たされた性愛を経験することができると強く信じています。いつの日か、私たちは皆、神様が願ったように生殖器を尊重する世界に住むことになるでしょう。

「ハイヌーン」の詳細については、私たちのウェブサイトhigh-noon.orgをご覧ください。「ハイヌーン」には、ポルノや自慰行為などの不健全な習慣と闘う人、より深い性的親密さを求めるカップル、そして、性問題過剰の世界で子供たちを教育し保護する方法を学びたい親のための多くの方策があります。「ハイヌーン」に訪れれば、誰にでもサポートとコミュニティーを見つけることできるでしょう。

この本の内容について、あなたがどう思ったのかをぜひお聞かせください。admin@highnoon.orgにあなたのご意見やご感想を送ってください。

時間を取りこの本を読んでくださりありがとうございます。真のご父母様による時空を超えたみ言で表現された神様の素晴らしいビジョンを実体験することができるように、この本があなたとあなたの家庭を導き続けることを祈ります。

参考文献

第一章　宇宙の根本

宇宙の根本

1. 天聖経, 初版, 第十一篇, 第二章, 第一節, p. 1636
2. 天聖経, 初版, 第十一篇, 第二章, 第二節, p. 1639
3. 天聖経, 初版, 第十一篇, 第二章, 第二節, p. 1640
4. 天聖経, 初版, 第十一篇, 第二章, 第二節, p. 1641
5. 天聖経, 初版, 第十一篇, 第二章, 第二節, p. 1646
6. 天聖経, 初版, 第十一篇, 第二章, 第二節, p. 1652
7. 天聖経, 初版, 第十一篇, 第二章, 第二節, p. 1644
8. 天聖経, 初版, 第十一篇, 第二章, 第二節, p. 1651
9. 天聖経, 初版, 第十一篇, 第二章, 第二節, p. 1651

愛の本宮

10. 天聖経, 初版, 第十一篇, 第二章, 第二節, p. 1639
11. 天聖経, 初版, 第十一篇, 第二章, 第二節, p. 1645
12. 天聖経, 初版, 第十一篇, 第二章, 第二節, p. 1643
13. 天聖経, 初版, 第十一篇, 第二章, 第二節, p. 1645
14. 天聖経, 初版, 第十一篇, 第二章, 第二節, p. 1652
15. 天聖経, 初版, 第十一篇, 第二章, 第二節, p. 1640
16. 天聖経, 初版, 第十一篇, 第二章, 第五節, p. 1694
17. 天聖経, 初版, 第十一篇, 第二章, 第一節, p. 1636
18. 天聖経, 初版, 第十一篇, 第二章, 第一節, p. 1635
19. 天聖経, 初版, 第十一篇, 第二章, 第五節, p. 1694

生命の本宮

20. 天聖経, 初版, 第十一篇, 第二章, 第二節, p. 1640
21. 天聖経, 初版, 第十一篇, 第二章, 第二節, p. 1642
22. 天聖経, 初版, 第十五編, 第二章, 第二節, p. 2162
23. 文鶴子博士「人生の旅」ワールドツアー各地での講演 (1999年)
24. 天聖経, 第二版, 第五篇, 第四章 , 第二節, 十五行, p. 565
25. 天聖経, 初版, 第十一篇, 第二章, 第二節, p. 1644
26. 天聖経, 初版, 第十一篇, 第二章, 第二節, p. 1642

血統の本宮

27. 文鮮明師「純潔、血統、生命を生み出す装置 (生殖器) 」、2001年2月2日、ニューヨーク州タリータウンのベルベディアでの説教
28. 天聖経, 第二版, 第三篇, 第二章, 第三節, 二十七行, p. 321
29. 天聖経, 第二版, 第三篇, 第二章, 第三節, 二十九行, p. 321
30. 天聖経, 初版, 第十一篇, 第二章, 第二節, p. 1651-1652
31. 天聖経, 初版, 第十一篇, 第二章, 第二節, p. 1642
32. 天聖経, 初版, 第十一篇, 第二章, 第二節, p. 1640
33. 天聖経, 初版, 第十一篇, 第二章, 第二節, p. 1644
34. 天聖経, 初版, 第十一篇, 第二章, 第二節, p. 1651
35. 天聖経, 初版, 第十一篇, 第二章, 第三節, p. 1661

第二章「性」に対する神様のデザイン

生殖器に対する神様の目的

36. 天聖経, 初版, 第十一篇, 第二章, 第二節, p. 1647
37. 天聖経, 初版, 第十一篇, 第二章, 第二節, p. 1648
38. 天聖経, 初版, 第十一篇, 第二章, 第二節, p. 1653
39. 天聖経, 第二版, 第四篇, 第四章, 第三節, 十五行, p. 468
40. 天聖経, 第二版, 第三篇, 第二章, 第三節, 十七行, p. 318
41. 平和経, 第二篇, スピーチ3, p. 225
42. 天聖経, 初版, 第十一篇, 第二章, 第二節, p. 1641

愛の化学

43. 天聖経, 初版, 第三篇, 第二章, 第五節, p. 363

44. 天聖経, 初版, 第三篇, 第二章, 第五節, p. 363
45. 天聖経, 第二版, 第三篇, 第一章, 第四節, 二十五行, p、295
46. 文鮮明, 説教「摂理の観点から見た真の父母の責任の完了」, ニューヨーク州, テリータウン, ベルベディアエステート, 1999年12月26日
47. 文鮮明師, 説教「人生の目的、来ることと去ること」, ニューヨーク州, テリータウン, ベルベディアエステート, 1984年1月8日
48. 天聖経, 初版, 第十一篇, 第二章, 第二節, p. 1650
49. 天聖経, 第二版, 第四篇, 第四章, 第二節, 十五行 p. 463

初愛の化学

50. 「責任と蕩滅の中心」, ニューヨーク州, テリータウン, ベルベディアエステート, 1983年1月30日
51. 文鮮明, 説教「責任と蕩滅の中心」, ニューヨーク州, テリータウン, ベルベディアエステート, 1983年1月30日
52. 文鮮明, 説教「今の時代」, ニューヨーク州, テリータウン, ベルベディアエステート, 1979年2月4日
53. 文鮮明師, スピーチ「神の勝利の道」, ニューヨーク州, ニューヨーク市, ワールド·ミッション·センター, 1987年8月20日
54. 天聖経, 初版, 第六篇, 第一章, 第四節, p. 822

初夜

55. 天聖経, 初版, 第四篇, 第七章, 第八節, p. 489
56. 天聖経, 第二版, 第三篇, 第二章, 第三節, 二十一行, p、319
57. 天聖経, 初版, 第十一篇, 第二章, 第三節, p. 1641
58. 天聖経, 初版, 第十一篇, 第二章, 第三節, p. 1661
59. 天聖経, 第二版, 第四篇, 第四章, 第三節, 十九行, p. 470
60. 天聖経, 初版, 第十一篇, 第二章, 第三節, p. 1671
61. 文鮮明, 説教「天命」ニューヨーク州, テリータウン, ベルベディアエステート, 1983年11月20日
62. 文鮮明, 説教「自分を中心とした親、子、そして世界」, ニューヨーク, テリータウン, ベルベディアエステート, 1983年6月5日
63. 文鮮明, 説教「祝福家庭の世界時代」, ニューヨーク州, テリータウン, ベルベディアエステート, 1997年5月4日

64. 天聖経, 初版, 第十一篇, 第二章, 第三節, p. 1671
65. 天聖経, 第二版, 第七篇, 第三章, 第四節, 二行, p. 779

神様の結婚式

66. 天聖経, 初版, 第十一篇, 第二章, 第三節, p. 1663
67. 天聖経, 初版, 第十一篇, 第二章, 第三節, p. 1663
68. 天聖経, 初版, 第十一篇, 第二章, 第三節, p. 1662
69. 天聖経, 初版, 第十一篇, 第二章, 第三節, p. 1664
70. 天聖経, 第二版,第一篇, 第二章, 第二節, 十九行, p. 71-72
71. 天聖経, 初版, 第十一篇, 第二章, 第三節, p. 1661
72. 天聖経, 初版, 第十一篇, 第二章, 第三節, p. 1661
73. 天聖経, 初版, 第十一篇, 第二章, 第三節, p. 1661-1662
74. 天聖経, 初版, 第十一篇, 第二章, 第三節, p. 1663
75. 増田善彦増田善彦,『真の愛と絶対「性」と健康法 -真の父母様の御言に基づいた幸福への案内』, 加平, 鮮鶴天宙平和大学院大学 出版部、240ページ

ガーディアンズ·オブ·ギャラクシー

76. 天聖経, 第二版, 第三篇, 第二章, 第三節, 二十八行, p. 321
77. 天聖経, 初版, 第九篇, 第一章, 第三節, p. 1253
78. 天聖経, 初版, 第九篇, 第一章, 第三節, p. 1251
79. 天聖経, 初版, 第九篇, 第一章, 第三節, p. 1252
80. 天聖経, 初版, 第九篇, 第一章, 第三節, p. 1252
81. 天聖経, 初版, 第十一篇, 第二章, 第二節, p. 1650
82. 天聖経, 初版, 第十一篇, 第二章, 第四節, p. 1684

心と体の純潔

83. 天聖経, 第二版, 第五篇, 第三章, 第一節, 二十行, p. 544
84. 天聖経, 第二版, 第四篇, 第四章, 第二節, 十一行, p. 422
85. 天聖経, 第二版, 第五篇, 第二章, 第一節, 三行, p. 506-507
86. 天聖経, 初版, 第十一篇, 第二章, 第三節, p. 1663
87. 天聖経, 初版, 第四篇, 第一章, 第五節, p. 427
88. 文鮮明,「師が語るサタン、堕落、悪」(質疑応答), 全米各地での講演, 1965年3月
89. 文鮮明,『祝福家庭と理想の王国』第一巻 (New York: HSA-UWC,

1997）, p.443
90. 天聖経, 第二版, 第八篇, 第二章, 第四節, 一行 , p. 870
91. 天聖経, 第二版, 第四篇, 第一章, 第二節, 三十四行, p. 384
92. 文鮮明,『祝福家庭と理想の王国』第一巻（New York: HSA-UWC, 1997）, p.444
93. 文鮮明,『祝福家庭と理想の王国』第一巻（New York: HSA-UWC, 1997）, p.53

人はなぜ結婚するのか？

94. 天聖経, 初版, 第十一篇, 第二章, 第三節, p. 1667
95. 文鮮明. 『平和を愛する世界人として』. ワシントンD.C., ワシントンタイムズ財団, 2010, p.207
96. 天聖経, 初版, 第三篇, 第三章, 第一節, p. 381
97. 天聖経, 初版, 第十一篇, 第二章, 第三節, p. 1670-1671
98. 天聖経, 第二版, 第五篇, 第二章, 第二節, 五行, p. 511-512
99. 天聖経, 初版, 第十一篇, 第二章, 第三節, p. 1673
100. 天聖経,第二版, 第五篇, 第二章, 第二節, 十三行, p. 513
101. 天聖経, 初版, 第十一篇, 第二章, 第三節, 1671
102. 平和経, 第二篇, スピーチ3, p. 225
103. 天聖経, 第二版, 第五篇, 第二章, 第二節, 十六行, p. 514
104. 天聖経, 初版, 第十一篇, 第二章, 第三節, p. 1672
105. 天聖経, 初版, 第十一篇, 第二章, 第三節, p. 1671

第三章　夫婦の愛

セックスの神聖なる価値

106. 天聖経, 初版, 第十一篇, 第二章, 第一節, p.1634
107. 天聖経, 第二版, 第三篇, 第二章, 第三節, 二十九行 p.383
108. 天聖経, 第二版, 第三篇, 第二章, 第三節, 三十行 p.321-322
109. 天聖経, 初版, 第八篇, 第二章, 第四節, p.1125
110. 天聖経, 初版, 第十一篇, 第二章, 第二節, p.1641
111. 天聖経, 初版, 第三篇, 第三章, 第一節, p.387
112. 文鮮明, スピーチ「平和統一王国を成す真の主人」, 清平, 韓国, 2006年4月10日

天の贈り物交換

113. 天聖経, 初版, 第四篇, 第十二章, 第一節, p. 530
114. 平和経, 第二篇, スピーチ3, p. 231-232
115. 天聖経, 初版, 第十一篇, 第二章, 第四節, p. 1677
116. 天聖経, 初版, 第十一篇, 第二章, 第四節, p. 1678
117. 天聖経, 初版, 第十一篇, 第二章, 第四節, p. 1679
118. 天聖経, 初版, 第十一篇, 第二章, 第四節, p. 1680
119. 天聖経, 初版, 第十一篇, 第二章, 第四節, p. 1682
120. 天聖経, 初版, 第四篇, 第十二章, 第三節, p. 532
121. 天聖経, 初版, 第四篇, 第十二章, 第三節, p. 532
122. 天聖経, 初版, 第四篇, 第十二章, 第三節, p. 532

二人が一つになる

123. 天聖経, 初版, 第十一篇, 第二章, 第三節, p. 1670
124. 天聖経, 第二版, 第三篇, 第二章, 第三節, 二十六行, p. 320-321
125. 天聖経, 第二版, 第五篇, 第二章, 第二節, 十行, p. 513
126. 天聖経, 初版, 第三篇, 第三章, 第一節, p. 383
127. 増田善彦,『真の愛と絶対「性」と健康法 -真の 父母様のみ言に基づいた幸福への案内-』, (加平：鮮鶴天宙平和大学院大学校出版部), P127
128. 韓鶴子, スピーチ「理想の世界では女性が主役となる 」, 仁川, 韓国. 1992年5月11日
129. 天聖経, 初版, 第三篇, 第二章, 第四節, p. 353
130. 天聖経, 初版, 第十一篇, 第二章, 第三節, p. 1672
131. 天聖経, 初版, 第十一篇, 第一章, 第三節, p. 1590-1591
132. 文鮮明, 説教「自分のために作られたのは何一つない」, ソウル, 韓国, 1997年8月10日
133. 天聖経, 第二版, 第五篇, 第二章, 第二節, 三行, p. 511

結婚生活における貞操

134. 天聖経, 初版, 第十一篇, 第二章, 第四節, p. 1679
135. 天聖経, 第二版, 第十三篇, 第一章, 第三節, 七行 p. 1392
136. 韓鶴子, スピーチ「真の家族の理想を体現しよう」, ワシントンD.C., 1997年11月17日

137. 天聖経, 第二版, 第五篇, 第二章, 第一節, 十五行 p. 510
138. 天聖経, 初版, 第三篇, 第二章, 第五節, p. 360
139. 天聖経, 初版, 第九篇, 第一章, 第三節, p. 1256
140. 天聖経, 初版, 第三篇, 第三章, 第二節, p. 385-386
141. 真の父母経, 第四篇, 第三章, 第一節, p. 369

真の愛は盲目

142. 文鮮明, 説教「成長への道」, ニューヨーク州, テリータウン, ベルベディアエステート, 1987年8月30日
143. 文鮮明, 説教「祝福家庭」, ニューヨーク州, テリータウン, ベルベディアエステート, 1982 年6月20日
144. 文鮮明, 説教「祝福家庭」, ニューヨーク州, テリータウン, ベルベディアエステート, 1982 年6月20日
145. 天聖経, 第二版, 第三篇, 第一章, 第四節, 二十八行 p. 296
146. 天聖経, 初版, 第三篇, 第二章, 第四節, p. 355
147. 天聖経, 初版, 第三篇, 第三章, 第一節, p. 382
148. 平和経, 第二篇, スピーチ３, p. 215
149. 天聖経, 初版, 第十一篇, 第二章, 第一節, p. 1635

愛を名詞ではなく動詞にする

150. 増田善彦,『真の愛と絶対「性」と健康法 -真の 父母様の御言に基づいた幸福への案内』, 加平：鮮鶴天宙平和大学院大学出版部, 2009年) p. 42
151. 天聖経, 初版, 第三篇, 第三章, 第二節, p. 387
152. 天聖経, 初版, 第三篇, 第二章, 第四節, p. 353
153. 天聖経, 初版, 第三篇, 第二章, 第四節, p. 353
154. 天聖経, 初版, 第四篇, 第七章, 第八節, p. 489
155. 天聖経, 第二篇, 第二章, 第三節, 三十一行P. 322
156. 天聖経, 初版, 第十一篇, 第二章, 第四節, p. 1680-1681

霊界と夫婦の愛

157. 天聖経, 第二版, 第七篇, 第二章, 第二節, 二十一行 p. 737
158. 天聖経, 第二版, 第七篇, 第三章, 第四節, 十行 p. 781
159. 天聖経, 第二版, 第四篇, 第四章, 第四節, 十七行 p. 737
160. 天聖経, 初版, 第四篇, 第七章, 第八節, p. 484

161. 天聖経, 初版, 第十一篇, 第二章, 第二節, p. 1646
162. 天聖経, 初版, 第十一篇, 第二章, 第三節, p. 1674
163. 天聖経, 初版, 第十一篇, 第二章, 第二節, p. 1652
164. 増田善彦, 『真の愛と絶対「性」と健康法 -真の 父母様のみ言に基づいた幸福への案内-』, (加平 : 鮮鶴天宙平和大学院大学校出版部, 2009年), p. 158

第四章 絶対「性」

絶対「性」とは？

165. 天聖経, 初版, 第十五篇, 第二章, 第四節p. 2173
166. 文鮮明, 説教「絶対性は重要である」, 天正宮博物館, 加平, 韓国, 2007年3月7日
167. 平和経, 第二編, スピーチ3, p. 231
168. 文鮮明, 説教「愛の勝利の26日目 : 宇宙の安息日圏には絶対性がある」, 天正宮博物館, 加平, 韓国, 2009年1月2日
169. 文鮮明, 説教「愛の勝利の26日目 : 宇宙の安息日圏には絶対性がある」, 天正宮博物館, 加平, 韓国, 2009年1月2日
170. 天聖経, 初版, 第十一篇, 第二章, 第四節p. 1690-1691
171. 文鮮明, 『祝福家庭と理想の王国』第一巻 (New York: HSA-UWC, 1997), p. 17-18
172. 天聖経, 初版, 第四篇, 第五章, 第六節p. 461-462
173. 文鮮明, 説教「愛の勝利の26日目 : 宇宙の安息日圏には絶対性がある」, 天正宮博物館, 加平, 韓国, 2009年1月2日

絶対純潔

174. 文鮮明, スピーチ「青年文化は純愛運動にならなければならない」, ワシントンD. C., 1997年 11月30日
175. 文鮮明, 『預言者は今日も語る 文鮮明のみ言』, W. ファーレイ·ジョーンズ編, (ニューヨーク, HSA-UWC, 1975), p. 33
176. 文鮮明, スピーチ「平和メッセージ10: 神様の絶対平和理想モデルである絶対「性」家庭と世界王国」, 一山, 韓国, 2006年1月21日,
177. 文鮮明, スピーチ「平和メッセージ10: 神様の絶対平和理想モデルである絶対「性」家庭と世界王国」, 一山, 韓国, 2006年

1月21日
178. 文鮮明，スピーチ「平和メッセージ10：神様の絶対平和理想モデルである絶対「性」家庭と世界王国」，一山，韓国，2006年1月2
1月2
179. 文鮮明，スピーチ「平和メッセージ10：神様の絶対平和理想モデルである絶対「性」家庭と世界王国」，一山，韓国，2006年1月21日
180. 文鮮明，無題，祝福カップルの会議での講演，ニューヨーク，1991年 2月21日

家庭における絶対「性」倫理

181. 文鮮明，説教「王宮の安着」，清平，韓国，2007年 12月28日
182. 文鮮明，スピーチ「平和メッセージ10：神様の絶対平和理想モデルである絶対性　家庭と世界王国」，一山，韓国，2006年 1月21日
183. 文鮮明，説教「絶対性は重要である」，天正宮博物館,加平，韓国，2007年3月7日
184. 天聖経，第二版，第八篇，第二章，第五節，三行，p. 880-881
185. 平和経，第二篇，スピーチ3，p. 232
186. 天聖経，第二版，第三篇，第二章，第三節，三十七行，p. 323-324

世界における絶対「性」倫理

187. 平和経，第二篇，スピーチ3，p. 231
188. 平和経，第二篇，スピーチ3，p. 220
189. 平和経，第二篇，スピーチ3，p. 231
190. 平和経，第二篇，スピーチ3，p. 232

第五章 堕落

ルーツ

191. 文鮮明，説教「人生の早春」，ニューヨーク州，テリータウン，ベルベディアエステート，1988年4月3日
192. 天聖経，初版，第十一篇，第二章，第一節p. 1636
193. 天聖経，第二版，第一篇，第一章，第二節，六行,p. 37

194. 天聖経, 初版, 第四篇, 第十章, 第二節, p. 509
195. 天聖経, 初版, 第八篇, 第二章, 第二節p. 1119
196. 天聖経, 初版, 第八篇, 第二章, 第四節p. 1125
197. 天聖経, 初版, 第四篇, 第十章, 第二節p. 508
198. 天聖経, 初版, 第八篇, 第二章, 第一節p. 1111
199. 天聖経, 初版, 第八篇, 第二章, 第四節p. 1127
200. 文鮮明, 説教「天宙平和統一王国を築く真の主人」, 天正宮博物館, 清平, 韓国, 2006年10月14日
201. 天聖経, 第二版, 第十一篇, 第三章, 第一節, 十九行, p. 1203

岐路

202. 平和経, 第二篇, メッセージ3, p. 230
203. 天聖経, 初版, 第十一篇, 第二章, 第五節p. 1690
204. 天聖経, 初版, 第十一篇, 第二章, 第五節p. 1690
205. 天聖経, 初版, 第十一篇, 第二章, 第五節p. 1691
206. 天聖経, 初版, 第十一篇, 第二章, 第五節p. 1692
207. 天聖経, 初版, 第十一篇, 第二章, 第五節p. 1691
208. 天聖経, 初版, 第十一篇, 第三章, 第一節p. 1703
209. 天聖経, 初版, 第十一篇, 第二章, 第四節p. 1686
210. 天聖経, 初版, 第六篇, 第二章, 第二節p. 883
211. 天聖経, 第二版, 第十三篇, 第二章, 第一節, 二十三行p. 1401
212. 文鮮明, 説教「善と悪の分岐点」, ソウル, 韓国, 1972年7月16日
213. 文鮮明, 「摂理的観点から見た宗教と民族を超えた価値観の調和と解放完結圏」, ニューヨーク州, ライ·ブルック市, 2004年10月26日

オデュッセイア

214. 天聖経, 初版, 第八篇, 第二章, 第一節p. 1113
215. 天聖経, 初版, 第十一篇, 第二章, 第三節p. 1672
216. 天聖経, 第二版, 第四篇, 第二章, 第二節, 二十九行, p. 417
217. 文鮮明, 「摂理的観点から見た宗教と民族を超えた価値観の調和と解放完結圏」, ニューヨーク州, ライ·ブルック市, 2004年10月26日

218. 文鮮明，スピーチ「使命と祈祷」，ニューヨーク州，ニューヨーク，ワールド･ミッションセンター，1983年6月12日
219. 文鮮明，説教「王宮の安着」，清平，韓国，2007年 12月28日
220. 文鮮明，説教「純潔、血統、生命を生み出す装置（生殖器）」，ニューヨーク州，テリータウン，ベルベディアエステート，2001年2月2日
221. 文鮮明，説教「中心指導者」，ニューヨーク州，テリータウン，ベルベディアエステート，1974年2月13日
222. 文鮮明，説教「中心指導者」，ニューヨーク州，テリータウン，ベルベディアエステート，1974年2月13日

不道徳と若者

223. 平和経，第二篇，メッセージ3，p. 230
224. 文鮮明，「師が語るサタン、堕落、悪」（質疑応答），全米各地での講演，1965年3月～4月
225. 真の父母経，第四篇，第三章，第一節，二十行，p. 372
226. 文鮮明，説教「愛の勝利の26日目」，天正宮博物館，加平，韓国，2009年1月2日
227. 文鮮明，『祝福家庭と理想の王国』第一巻（New York：HSA-UWC，1997），p. 99
228. 文鮮明，スピーチ「真の愛に基づいた心情文化世界を構築する」，ソウル，韓国，2003年7月10日

家庭と世界における不道徳

229. 真の父母経，第四篇，第三章，第一節，一行，p. 366
230. 真の父母経，第四篇，第三章，第一節，一行，p. 366
231. 韓鶴子，スピーチ「理想の家庭と世界平和」，ソウル，韓国，1995年8月23日
232. 平和経，第十篇，スピーチ2，p. 1484
233. 文鮮明，スピーチ「摂理的観点から見る価値の和合と超宗教超国家主権の解放と安着」，ニューヨーク州，ライ･ブルック市，2004年10月26日
234. 天聖経，二版，第十三篇，第二章，第一節，十四行，p. 1399
235. 文鮮明，スピーチ「摂理的観点から見る価値の和合と超宗教超国家主権の解放と安着」，ニューヨーク州，ライ･ブルック市，

2004年10月26日

第六章 復帰

親から教わるセックスについて

236. 天聖経，初版，第十一篇，第二章，第一節，p. 1635
237. 増田善彦,『真の愛と絶対「性」と健康法 –真の父母様の御言に基づいた幸福への案内』，加平：鮮鶴UP大学院大学校 出版部, p. 209
238. 文鮮明，説教「真の万物の日と調和の開始者」，ニューヨーク州, テリータウン，ベルベディアエステート，1997年6月5日
239. 天聖経，初版，第十一篇，第二章，第二節，p. 1653

メシヤはなぜ来るのか？

240. 天聖経，初版，第十一篇，第二章，第二節，p. 1653
241. 平和経，第二篇，スピーチ３, p. 230-231
242. 真の父母経，第四篇, 第二章, 第一節，十七行, p. 1495
243. 平和経，第二篇，スピーチ３, p. 231
244. 文鮮明，説教「愛の勝利の26日目：宇宙の安息日圏には絶対性がある」，天正宮博物館，加平，韓国，2009年1月2日
245. 文鮮明，説教「王宮の安着」，清平，韓国，2007年 12月28日
246. 天聖経，初版，第十一篇，第二章，第五節，p. 1691
247. マイケル･ミックラー博士，『アメリカでの40年』，（ニューヨーク州，HSA-UWC，2000）
248. 文鮮明，「王の王である神様の解放の権威のための戴冠式での真の御父母様の最後の祈祷」天正宮博物館，2009年1月15日
249. 平和経，第二篇，スピーチ３, p. 230
250. 天聖経，第二版，第一篇，第四章，第一節，七十七行p. 123

中間位置

251. 天聖経，初版，第十篇，第一章，第四節，p. 1427
252. 天聖経，第二版，第八篇，第二章，第二節，十二行p. 859
253. 天聖経，第二版，第十三篇，第二章，第一節，九行p. 1398
254. 文鮮明，スピーチ「ホームチャーチと天国完成」，ニューヨーク州，ニューヨーク，ワールドミッションセンター，1979年1

月1日
255. 文鮮明,『祝福家庭と理想の王国』第一巻（New York: HSA-UWC, 1997), p.95
256. 文鮮明,『原理講論』, 復帰原理, 緒論（ニューヨーク:H-SA-UWC,1996）p.272
257. 文鮮明,『原理講論』, 復帰原理, 緒論,（ニューヨーク:H-SA-UWC,1996), p.272
258. 天聖経, 初版, 第十一篇, 第二章, 第五節, p.1690
259. 文鮮明, スピーチ「天地平和と統一王国を成すための真の主人」, ソウル, 韓国, 2006年4月10日

「恥」の結末

260. 天聖経, 初版, 第一篇, 第二章, 第三節, p.94
261. 天聖経, 初版, 第四篇, 第七章, 第六節, p.482
262. 天聖経, 初版, 第八篇, 第二章, 第一節, p.1112
263. 天聖経, 初版, 第八篇, 第二章, 第四節, p.1124
264. 天聖経, 初版, 第十一篇, 第二章, 第三節, p.1673-1674
265. 天聖経, 初版, 第三篇, 第二章, 第五節, p.362
266. 天聖経, 初版, 第十一篇, 第二章, 第二節, p.1647-1648
267. 天聖経, 初版, 第十一篇, 第二章, 第二節, p.1647
268. 天聖経, 初版, 第三篇, 第二章, 第四節, p.356
269. 増田善彦,『真の愛と絶対「性」と健康法 -真の父母様の御言に基づいた幸福への案内』, 加平：鮮鶴UP大学院大学校 出版部, p.183

影のない人生

270. 文鮮明, スピーチ「良い年にしましょう」, ニューヨーク州, ニューヨーク, ワールドミッションセンター, 1983年1月2日
271. 天聖経, 第二版, 第十二篇, 第三章, 第二節, 三行p.1323
272. 天聖経, 第二版, 第十二篇, 第三章, 第二節, 一行p.1322
273. 天聖経, 第二版, 第十二篇, 第三章, 第二節, 二行p.1322
274. 天聖経, 第二版, 第四篇, 第三章, 第三節, 二十八行 p.453
275. 天聖経, 第二版, 第四篇, 第三章, 第三節, 二十六行 p.452
276. 文鮮明, 説教「第四十四回真の子女の日の摂理的意味」, 清平, 韓国, 2003年10月25日

277. 文鮮明, スピーチ「摂理的観点から見た宗教と民族を超えた価値観の調和と解放完結圏」, ニューヨーク州, ライ·ブルック市, 2004年10月26日
278. 伝統, 第三部, (ニューヨーク: HSA-UWC, 1980), p. 187
279. み旨の道, (ニューヨーク: HSA-UWC, 1980), p. 199
280. 天聖経, 第二版, 第八篇, 第一章, 第二節, 五行 p.821
281. 伝統, 第二部, (ニューヨーク:HSA-UWC, 1980), p. 100

純潔運動

282. 真の父母経, 第四篇, 第三章, 第一節, 十六行, p.371
283. 天聖経, 第二版, 第十三篇, 第二章, 第二節, 二十七行p.1408
284. 真の父母経, 第四篇, 第三章, 第一節, 十二行, p.370
285. 文鮮明, 「摂理的観点から見た宗教と民族を超えた価値観の調和と解放完結圏」, ニューヨーク州, ライ·ブルック市, 2004年10月26日
286. 真の父母経, 第四篇, 第三章, 第一節, 十一行, p.370
287. 真の父母経, 第四篇, 第三章, 第一節, 十五行, p.371
288. 文鮮明, 第三回世界文化体育大会でのスピーチ「青年文化は純愛運動にならなければならない」, ワシントンD.C., 1997年11月30日
289. 文鮮明, 第三回世界文化体育大会でのスピーチ「青年文化は純愛運動にならなければならない」, ワシントンD.C., 1997年11月30日
290. 文鮮明, 第三回世界文化体育大会でのスピーチ「青年文化は純愛運動にならなければならない」, ワシントンD.C., 1997年11月30日
291. 文鮮明, 第三回世界文化体育大会でのスピーチ「青年文化は純愛運動にならなければならない」, ワシントンD.C., 1997年11月30日
292. 文鮮明, 第三回世界文化体育大会でのスピーチ「青年文化は純愛運動にならなければならない」, ワシントンD.C., 1997年11月30日

参考書目

Bailey, Megan. "7 Godly Love Stories that Inspire." Beliefnet. Accessed 2019. https:// www.beliefnet.com/love-family/relationships/marriage/7-godly-love-stories-that-inspire.aspx.

Ballard, Larry. "Multigenerational Legacies – The Story of Jonathan Edwards." July 1, 2017. https://www.ywam-fmi.org/news/multigenerational-legacies-the-story-of-jonathan-edwards/.

Bloom, Linda, and Charlie Bloom. "Want More and Better Sex? Get Married and Stay Married." HuffPost. July 13, 2017. https://www.huffpost.com/entry/want-more-and-better-sex-get-married-and-stay-married_b_5967b618e4b022bb9372aff2.

世界平和統一家庭連合，『天聖経』，ソウル，成和社，2006

Gresh, Dannah. "Healthy Sexuality: Sending the Right Message to Your Kids." Focus on the Family. June 27, 2017. https://www.focusonthefamily.com/parenting/healthysexuality-sending-the-right-message-to-your-kids/.

Herbenick, Debby, Michael Reece, Vanessa Schick, Stephanie A. Sanders, Brian Dodge, and J. Dennis Fortenberry. "Sexual Behavior in the United States: Results from a National Probability Sample of Men and Women Ages 14-94." The Journal of Sexual Medicine 7, no. s5 (October 2010): 255-65. doi: 10/1111/j.1743-6109.2010.02012.x.

ホメロス，『オデュッセイア』，ロバート・ファグルズ訳，（ニューヨ

ーク：ペンギングループ,1996),277

Izquierdo, Victoriano. "How Porn & Technology Might Be Replacing Sex for Japanese Millennials." Fight the New Drug. April 17, 2019. https:// fightthenewdrug.org/how-porn-sex-technology-is-contributing-to-japans-sex-less-population/.

李相憲『統一思想の説明』(ブリッジポート:統一思想研究所、1981)

李相軒,『霊界の実相と地上生活 - 李相軒先生が霊界から送ったメッセージ』. ニューヨーク, 世界平和統一家庭連合,1998.

Librera Editrice Vaticana. Catechism of the Catholic Church, 2nd ed. Washington, D.C.: United States Conference of Catholic Bishops. 2019.

Lickona, Thomas. "Ten Emotional Dangers of Premature Sexual Involvement." Center for the 4th and 5th Rs (2007). https://www2.cortland. edu/centers/character/images/sex_character/2007-Fall-red.pdf.

マックス･ルケード,『あなたは特別』 (Wheaton: クロスウェイ、1997).

Luther, Martin. "The Estate of Marriage." Sermon, Germany, 1519.

Martelaro, Nikolas. "Turning Nuclear Weapons into Nuclear Power." Course work, Stanford University, March 23, 2017. http://large.stanford.edu/ courses/2017/ph241/martelaro2/.

増田善彦,『真の愛と絶対「性」と健康法 - 真の 父母様の御言に基づいた幸福への案内』, 加平, 鮮鶴天宙平和大学院大学 出版部, 2009年.

ジョー･S･マキルヘイニー,フレダ･マッキシック･ブッシュ『Hooked: カジュアルなセックスが子供たちに与える影響に関する新しい科学 』, (シカゴ：ノースフィールド出版, 2008),43 (McIlhaney, Joe S., and Freda McKissic Bush. Hooked: New Science on How Casual Sex Is Affecting Our Children. Chicago: Northfield Publishing, 2008).

Messora, Rene. "A child raised by many mothers: What we

can learn about parenthood from an indigenous group in Brazil." The Washington Post. September 6, 2019. https://www.washingtonpost.com/ lifestyle/2019/09/06/ child-raised-by-many-mothers-what-we-can-learnhow-other-cultures-raise-their-children/.

文鮮明. 『平和を愛する世界人として』. ワシントンD.C., ワシントンタイムズ財団, 2010.

Pak, Joong Hyun. "Absolute Sex-Exploring Its Meaning." Sermon, Belvedere Estate, Tarrytown, NY, February 1, 1997. tparents.org. http:// www.tparents.org/UNews/ Unws9702/jpak9702.htm.

マイケル·ロイゼン.リアルエイジ:あなたの本当の年齢を教えます.ニューヨーク: ウイリアム·モロー, 1999 (Roizen, Michael. RealAge: Are You as Young as You Can Be?. New York: William Morrow, 1999).

。

Made in the USA
Monee, IL
07 October 2022

15269245R00144